Pour Juliette

Merci de partager la

Je suis Char Liberté !

belle aventure éditoriale de ces jeunes gens pour qui la liberté d'expression est juste une évidence.

25/3/17

L'écrivain Arthur Ténor est un adulte qui a su garder un cœur d'enfant. S'il se définit plutôt comme un romancier de l'aventure, c'est aussi un auteur réaliste, témoin de son temps, qui aborde certains thèmes « sérieux » ou graves (le harcèlement avec *L'enfer au collège*, chez Milan, la maltraitance avec *Les anges pleurent en silence*, chez Oskar, ...).

En dehors de l'écriture, il apprécie beaucoup les rencontres avec le public, que ce soit sur les salons, en milieu scolaire ou autres.

Parmi la centaine d'ouvrages qu'il a publiés, on trouve : les *Roman d'horreur* ou *Les Fabuleux* (Scrineo Jeunesse), la série *L'elfe au dragon* (Seuil Jeunesse), *Il s'appelait... le soldat inconnu* et *Guerre secrète à Versailles* (Gallimard Jeunesse), ou encore *Le livre dont vous êtes la victime* (Pocket Jeunesse).

8, rue Saint-Marc, 75002 Paris
Diffusion : Volumen
Illustration de couverture réalisée par Berth
Couverture : Marguerite Lecointre
Mise en page : Virginie Langlais

ISBN : 978-2-3674-0380-9
Dépôt légal : janvier 2016

Arthur Ténor

Je suis CharLiberté !

Toute vérité est bonne à dire !

« La tolérance n'a jamais excité de guerre civile ;
l'intolérance a couvert la terre de carnage. »
Voltaire – *Traité sur la tolérance.*

ScriNeo

À Nathalie, comme moi, si sensible à la tolérance, la tempérance, l'écoute, la sagesse bouddhiste... en somme, tout ce qui fait le bonheur des peuples, et avec laquelle je suis radicalement Charliberté !

CHARLIBERTÉ-HEBDO

Éditorial

Premier numéro

« Le 7 janvier 2015, à Paris, deux garçons fanatisés déciment la rédaction d'un journal satirique et tuent deux policiers. Les jours suivants, un troisième terroriste abat dans le dos une policière, puis se précipite dans une supérette casher où il exécute de sang-froid quatre personnes, comme ça, juste parce que c'était un magasin juif. Outre le drame humain que cause fatalement un attentat aussi odieux, et le dégoût qu'inspire l'injustice visant de manière si sanglante des êtres humains innocents, la France a été frappée en plein cœur. Des gens pris d'une folie parfaitement assumée ont poignardé ce que notre nation a de plus sacré : les valeurs de

tolérance et de liberté de notre République, conquises de haute lutte par des siècles de révoltes, de révolutions, de rébellions et d'héroïsme combattant. Ils ont touché aux fondements de ce qu'est un monde civilisé, un monde qui accepte non seulement des opinions et des croyances diverses, mais aussi l'impertinence et ce droit sacré qui deviendra la devise de notre petit hebdomadaire collégien Charliberté : « Toute vérité est bonne à dire ! » Et nous pourrions ajouter, quel qu'en soit le prix, puisque de ce principe dépend le progrès de notre société.

Le 7 janvier 2015, j'ai pleuré, pas seulement sur les morts et parce que j'ai partagé un peu de l'insupportable chagrin des proches des victimes, mais aussi parce que j'ai été touché par les larmes des anonymes. J'ai pleuré parce que je me suis senti atteint personnellement. Ça a été un vrai étonnement pour moi. Jamais, je l'avoue, devant les images d'un attentat je n'ai été à ce point affecté. Que m'arrivait-il ?

Et puis, il y a eu la mobilisation générale de la nation le 11 janvier. Alors là, j'ai été saisi d'émotions et, pour la première fois de ma vie, figurez-vous que j'ai éprouvé une vraie fierté d'être Français. C'était trop beau, moi qui pestais tout le temps contre les uns, les autres, le monde, le jemenfoutisme, le déclinisme, le pessimisme… je me retrouvais tout à coup avec une envie d'avenir.

Ça ne pouvait pas s'arrêter là. Du mal absolu devait surgir le bien… du bien, à condition qu'on ne laisse pas l'oubli faire son œuvre. Mais quelle initiative pouvais-je prendre, à mon petit niveau, moi le collégien de 3e ? Un journal ! Oui, un journal satirique pour le collège, parce que je me débrouille pas mal en français et que j'ai de l'humour, que mon copain Sliman dessine super bien et que Sarah voulait aussi m'aider. Sarah a un regard plein de douceur et de rigueur… Bref, à trois, bientôt à dix j'espère, nous allions créer et faire vivre le journal satirique Charliberté-Hebdo. Ce serait pour le meilleur et pour le rire !

Et pour que vive la liberté d'expression !

Tom Fabiani – le 19 janvier 2015 »

1
Tom en rédac' chef

Quand Tom s'est tu, durant une seconde, peut-être même plusieurs, il y a eu un grand silence dans la classe. Quelle lecture ! Le prof de français était épaté, comme la plupart des élèves, dont moi-même évidemment, bien que différemment puisque je connaissais déjà ce texte presque par cœur. Tom a repris sa respiration, puis il a esquissé un petit sourire en m'adressant un regard complice. Il affichait un air étonné, comme s'il se demandait : « C'est moi qui ai écrit ça ? » Oui, enfin... un peu avec mon aide et mon soutien psychologique. On y avait même passé une bonne partie de notre mercredi après-midi.

– Eh bien, a fini par lâcher M. Ségurat. Bravo Tom. C'est... magnifique ! Qu'est-ce qu'on pourrait ajouter ? Rien, c'était parfait. Qu'en pensez-vous, les autres ?

En réponse, spontanément, nous avons applaudi. Il me semble que même Joé, la forte tête du fond de la classe, a été impressionné. La preuve, j'ai vu qu'il avait cessé de se balancer sur sa chaise pendant que Tom nous lisait son édito.

Judith a levé la main et dans la foulée a pris la parole :

– C'était super, mais quand même un peu intello, non ?

Tom a hoché la tête, mimant l'air accablé de l'enseignant perdant courage. Puis il a répondu, sans agressivité, juste avec cet humour pince-sans-rire qu'il avait dû recevoir en don à sa naissance :

– T'inquiète, on a prévu de mettre des dessins à colorier pour ceux qui auraient du mal à déchiffrer ce qui est écrit. Et puis, il y aura les caricatures. Ça, tout le monde devrait comprendre, même Max.

Comme si un courant électrique était passé dans les chaises, on a vu les bustes se redresser et les regards converger vers Maxime Ferrand, surnommé P'tit Max par les esprits moqueurs. Il a levé le pouce pour féliciter Tom. Ce poids mouche blond-roux était le dernier ou l'avant-dernier de la classe suivant les jours, mais certainement pas le plus idiot. Il était même assez malin, par contre d'une paresse qui aurait mérité de figurer dans le livre des records.

Le deuxième de la classe, en commençant par le bas du classement, était Joé. Même s'il n'a pas réagi par une remarque déplacée et si possible acerbe, j'ai déduit à sa bouche figée en un rictus amer qu'il s'était senti visé par ricochet. Tom évitait soigneusement de croiser son regard. Il faut dire que Joé était bâti comme un boxeur, qu'il avait le coup de boule facile et l'uppercut convaincant. Ce n'étaient cependant pas ses muscles qui le rendaient le plus redoutable ; son vrai problème, c'est qu'il était mal dans sa tête, mal dans sa vie, mal dans la société. Et il n'avait rien trouvé de mieux pour exprimer ses souffrances que la méchanceté et les réactions débiles, alors qu'il valait beaucoup mieux que cela.

Si Tom avait dû l'affronter, il n'aurait certes pas fait le poids physiquement, mais par l'esprit il l'aurait écrasé à plate couture. Et par sa personnalité enjouée, il l'aurait facilement désarmé. C'est d'ailleurs ce que je préférais chez ce grand garçon un peu dégingandé : sa perpétuelle bonne humeur, qu'il portait sur son visage même quand il n'était pas dans son assiette. On avait toujours l'impression qu'il était heureux, qu'avec lui la vie était légère comme un papillon. Je savais que la réalité était tout autre, mais bon… on s'en fiche pour ce récit. Quoique… Par contraste avec Joé, on pouvait constater que le mal-être, les problèmes familiaux ou autres peuvent très bien s'exprimer autrement que par l'agressivité. Il faudrait qu'un psy nous explique pourquoi il y a une telle différence entre les individus dans la gestion de leurs soucis.

Revenons à Tom. Je ne l'ai jamais vu faire vraiment la tête, alors qu'il n'avait pas un caractère toujours facile. Il lui arrivait de s'emporter (lui parlait « d'enthousiasme débordant »). Ça faisait du bruit, mais très vite il se maîtrisait et s'excusait. Il était hypersensible aussi, ce qui n'est pas toujours un défaut. Disons qu'à cause de cela, il avait du mal à écouter d'abord et à réfléchir ensuite, avant d'agir. Quand on s'opposait à lui frontalement, il se crispait instantanément et son visage un peu émacié se teintait d'une dureté qui pouvait surprendre. Et puis très vite, son intelligence fulgurante le rappelait à l'ordre et il retrouvait sa légèreté habituelle pour tourner la discussion en dérision. C'était sa manière à lui de faire retomber les tensions.

Ce que j'aimais le plus dans sa physionomie était son sourire. Et quand il riait à belles dents, ce qui arrivait souvent, il était carrément craquant, sans compter qu'il avait des cheveux marrants, toujours en pétard, d'une couleur incertaine entre le brun et le châtain. Je me refusais à l'admettre, mais j'en pinçais un peu pour lui… un peu beaucoup.

Le prof de français a repris l'interview :

– Donc vous lancez votre hebdomadaire à trois. Qui s'occupera de quoi ?

– Sarah sera journaliste…

– Et correctrice ! ai-je précisé.

Et ce n'était pas du luxe, car s'il avait le jeu de mots facile, pour les détails orthographiques, mieux valait qu'il soit secondé.

– Exact. Sliman sera le dessinateur en chef. Tout le monde sait qu'il est doué pour les portraits, mais attendez de voir ce que ça donne en caricatures de presse. Ça va décaper !

– Tiens, justement, pouvez-vous nous préciser votre ligne éditoriale ?

Tom a regardé M. Ségurat avec perplexité, comme si la question le prenait au dépourvu. Moi, je savais ce qu'il en était vraiment ; l'expression même « suivre une ligne » donnait des boutons à cet esprit débordant de tous côtés. Pour lui, suivre une ligne, une voie et même un groupe, était antinomique avec sa conception de la liberté. Il avait tort. Je me souviens d'une discussion que nous avions eue en classe à ce sujet, quelques semaines plus tôt, et dont la conclusion avait été : « Être libre, ce n'est pas faire n'importe quoi, n'importe comment, n'importe quand, avec n'importe qui. Le résultat est immanquablement désastreux… », pour la liberté justement. Comme il était lucide et savait se remettre en question, il en avait fait son miel. La preuve, il m'a surprise en martelant :

– Un axe, trois champs d'expression. L'axe, c'est notre slogan : Toute vérité est bonne à dire ! C'est ce qu'on fera. On va poser le doigt sur des trucs qui ne fonctionnent pas bien…

– Des trucs ?

– Oui, des trucs et des machins. On sera le poil à gratter du collège. Les profs, par exemple, on va sûrement avoir des articles à écrire sur eux, mais je vous rassure tout de suite, monsieur, ce ne sera ni sur leur vie privée, ni sur leurs compétences ou leurs problèmes perso. On n'attaquera jamais sur ce terrain et encore moins sur le physique. Mais s'ils décident de faire grève un jour, on écrira là-dessus, pour expliquer, et on donnera notre point de vue d'élèves qui n'ont pas peur de dire ce qu'ils pensent.

– J'en déduis que le premier champ de votre ligne éditoriale, ce sera la vie scolaire. Et les deux autres ?

– Ce seront des rubriques secondaires : l'actualité nationale et un peu d'international. *Charliberté* ne fera pas de politique partisane, et nous appliquerons un principe : ne jamais se prendre trop au sérieux.

Tom a esquissé un sourire espiègle avant de conclure :

– Bref, on fera comme on pourra, mais toujours dans l'humour.

Là-dessus, la discussion s'est engagée sur les moyens pratiques. Par exemple, le prof a promis de m'aider pour les corrections, si je le souhaitais – et c'était le cas ! Le financement serait assuré par un prix de vente raisonnable, c'est-à-dire au coût de revient, un euro l'exemplaire. C'est alors qu'est venue sur le tapis la question qui fâche :

– Mouais, tout ça, c'est ce que vous voulez, mais en vrai vous ne toucherez pas au système, ce serait trop risqué, a lancé Corentin, un pessimiste invétéré, très contestataire, mais pas toujours stupide.

– Non. Il n'y aura pas d'autocensure. Notre esprit de responsabilité suffira à poser les limites là où il faudra. Par exemple, on ne touchera pas au physique, je l'ai déjà dit… enfin, un peu quand même, dans les caricatures. Bien obligé. Mais pas aux problèmes perso, ça c'est sûr…

– Et les religions ? a lancé quelqu'un.

– On verra. Si on a des trucs à dire, pourquoi est-ce qu'on se priverait ? Pareil pour la politique, les idéologies…

– Et le sexe ? a lancé le grivois de service.

– Non, pour ça on vous laisse vous débrouiller sur Internet.

– Pas de censure dites-vous, a repris M. Ségurat, sceptique. Ne craignez-vous pas quand même de froisser certaines susceptibilités ?

– Et alors ?

Silence. J'ai adoré ce silence. Tom aussi s'en est délecté. Je suis intervenue :

– Qu'est-ce qu'on écrirait si on devait ne froisser personne ? Le bulletin municipal ? On prend le club Lecture en photo et on raconte sa dernière rencontre avec un auteur ? Tout le monde il est beau, tout le monde il est gentil. Et on annonce la prochaine pièce du club Théâtre ?

– Pas de censure, mais pas de méchanceté gratuite… ni même payante d'ailleurs, a enchaîné Tom. C'est tout ce que je peux vous dire. Mais on verra à l'usage.

– Bon, a soupiré le prof. Quelqu'un aurait-il une dernière question pour notre rédacteur en chef, avant qu'on reprenne le cours ?

Un des garçons du fond de la classe a demandé sans lever la main :

– Elle ressemblera à quoi, votre première une ?

Tom a hésité. Je pensais qu'il n'en avait encore aucune idée, ce qui était vrai, mais subitement l'inspiration lui est venue :

– Vous vous souvenez du tableau du peintre Le Pérugin, qu'on a étudié en cours d'arts plastiques. C'était le martyr de saint Sébastien qu'on voit attaché à un pilier et percé de flèches ? On va le remplacer par Marianne, et les flèches par des crayons…

– On verra le sein nu ? lança le grivois de service en s'esclaffant.

– Les deux, mec ! Les crayons rebondiront sur Marianne qui rigolera. Et on écrira au-dessus : « La République chatouillée par la liberté d'expression ».

Pas mal, l'idée. J'avais hâte de voir comment Sliman allait nous croquer ça.

2
Première conférence de rédaction

Le soir même de ce jour « historique » où Tom a présenté à notre classe son projet de création de *Charliberté-Hebdo*, nous nous sommes réunis à quatre... Eh oui, nous avions déjà recruté un nouveau bénévole. Et, ô surprise, il s'agissait de Max, ce fainéant minuscule, mais mignon tout plein et toujours joyeux. Il avait le profil idéal pour nous. En plus, il s'est proposé pour la partie qui nous branchait le moins : la vente.

– J'ai déjà fait ça, plusieurs fois ! a-t-il expliqué pour nous convaincre, ce qui n'était pas vraiment nécessaire. Pour une association d'aide aux enfants malades, j'ai vendu des timbres et des billets de tombola. S'il faut faire du porte-à-porte, pas de problème, je m'y collerai.

Tom a dénié de la tête en reposant son verre de Coca. Notre quartier général était un petit bar à quelques rues du collège. C'était assez drôle de nous voir tous les quatre, serrés autour d'une table ronde, tel un groupe de conspirateurs.

– Non, a objecté notre rédac' chef, *Charliberté* ne sera pas distribué en dehors du collège, en tout cas pas au début. C'est un journal pour les jeunes, fait par des jeunes.

– OK, alors je le distribuerai pendant les récrés.

– Sans te faire remarquer, ai-je recommandé. Parce que je ne suis pas sûre que l'administration soit vraiment d'accord. Je te rappelle qu'on va faire un journal satirique. Ça va grincer des dents dans les couloirs.

Max a acquiescé, puis il a demandé :

– Qu'est-ce qu'il y aura dans le prochain numéro ?

– Le premier ! a rappelé Tom. Justement, on est là pour en parler. Sliman, tu n'as encore rien dit : aurais-tu une suggestion ?

Sliman était un drôle de garçon : il avait toujours un air de timide maladif, limite autiste ; c'était en réalité un joyeux drille un peu déjanté qui aimait se donner une image de mec bizarre, impossible à cerner. Lui aussi avait le profil de parfait déconneur pour notre aventure, un sacré coup de crayon, des idées complètement farfelues et des parents assez cool pour le laisser sortir le soir. C'était un pince-sans-rire joueur – pas seulement sur console de jeu –, autrement dit un excellent comédien, et j'ajouterai qu'il avait un cœur d'or. Je ne l'ai jamais entendu dire du mal de quelqu'un… sauf peut-être avec son crayon, parce que là, il savait se montrer terriblement mordant. Sinon, physiquement, c'était un mi-beur – si l'on veut bien m'accorder l'expression – au gabarit moyen, dont le père était marocain et la mère berrichonne. Un cocktail culturel, religieux et racial parfaitement réussi. Et « un chouette copain », comme disait Tom. Je l'appréciais vraiment beaucoup.

Donc, sollicité par notre rédac' chef, Sliman nous a donné sa vision de la chose, à sa manière, c'est-à-dire en croquant vite fait une caricature de Tom se grattant le crâne, tout nu devant une psyché. Je n'ai pu m'empêcher d'éclater de rire, surtout parce qu'il lui avait fait un tout petit zizi.

– Tu décryptes, s'il te plaît ? a demandé Tom, l'œil à moitié fermé.

Et l'artiste d'écrire sous son dessin : « La vérité nue se demandant comment elle doit s'habiller ».

– Autrement dit : à toi l'honneur, c'est toi le rédac' chef ! a traduit le dessinateur.

– OK. C'est très simple, on traite d'un sujet central par numéro, du genre… voyons : est-ce que c'est humain de servir à la cantine des haricots bouillis à des enfants en pleine croissance ? Comme ce midi, je précise. Ou alors : les profs ont-ils plus d'autorité en cravate et costard qu'en jeans et baskets ?

Consternée, je l'ai dévisagé.

– Si on commence comme ça, je sens qu'on va se prendre une belle gamelle.

– D'accord. Sérieux. J'ai pensé à traiter la liberté d'expression. Par exemple, Sarah tu pourrais interroger des élèves, des profs, et même Mme Lachenal sur ce que c'est pour eux. Sliman, tu nous croques quelques dessins marrants, moi je fais des recherches historiques en demandant l'aide du documentaliste, et le tour est joué. Je vous rappelle que pour le premier numéro, on se contentera d'une page A3, pliée en deux.

– La liberté d'expression guidant le peuple, ça donnerait quoi ? a demandé tout à coup Max, faisant référence au tableau d'Eugène Delacroix.

Il avait de la culture, le petit Max, télévisuelle principalement. Sliman a réfléchi, puis a proposé :

– Je ne sais pas… Un truc du genre…

En guise de matrone vaillante et conquérante, il a dessiné une petite boulotte à lunettes rondes, relevant ses jupes d'une main et brandissant de l'autre, en guise d'étendard, un numéro de *Charliberté-Hebdo*. Nous avons immédiatement reconnu cette figure héroïque : Mme Lachenal, le principal du collège ! Derrière elle, Sliman a esquissé une foule de joyeux collégiens armés de crayons et de pinceaux. Il a ajouté, sourire en coin, une banderole sur laquelle il a écrit : « Vive la liberté d'expression corporelle ! », signée *L'amicale nudiste du collège Rousseau* (notre collège). Et puis au-dessus, il a représenté un nuage d'orage menaçant la foule d'un énorme poing.

– Pas mal. Ça commence fort, notre affaire, a estimé Tom.

Pour ma part, j'étais perplexe, voire inquiète de la réaction de Mme Lachenal, d'autant qu'elle avait la réputation d'avoir autant d'humour qu'un poisson rouge…

C'est pourtant en approuvant ce dessin à l'unanimité que nous avons poursuivi notre réunion. Pour ma part, je suis rentrée chez moi, après une bonne heure et demie d'intense et parfois houleuse discussion, persuadée que nous allions tous finir en conseil de discipline et que l'aventure *Charliberté* était déjà torpillée. N'empêche, c'était si réjouissant de laisser s'exprimer ainsi notre imagination et notre enthousiasme militant, que j'aurais gravi n'importe quelle barricade pour ne pas rater ça.

Le jeudi suivant, le numéro ZHÉROS de *Charliberté-Hebdo* était photocopié en cent exemplaires, pliés et vendus par nous quatre à la criée devant la grille du collège, un peu avant la rentrée de huit heures. Et tant pis pour la discrétion !

Jusqu'à la sonnerie de début des cours, l'effet curiosité fut prodigieux… les ventes, nettement moins.

– Un euro, quoi ! C'est quand même pas la ruine ! argumentait bravement Max.

Sans grand succès. Cela dit, douze ventes en vingt minutes, c'était déjà un bon début. La vraie satisfaction de ce lancement de campagne promotionnelle fut de placer un exemplaire à M. Ségurat. Je crois que jamais de ma vie je n'oublierai cette scène délectable où, tandis que les collégiens se rassemblaient par classes devant le préau, lui, trop impatient de découvrir le premier *Charliberté*, l'ouvrit. Son visage affichait un délicieux contentement quand soudain, son regard est tombé sur notre caricature du principal. Comme je regrette de ne pas avoir eu le réflexe de filmer ça : il a écarquillé les yeux, froncé les sourcils, tiqué et pour finir… grimacé. Au-dessus de sa tête, c'est comme si j'avais vu une bulle de BD se former pour constater : « Ils ont osé ! »

Tom s'est penché vers moi pour murmurer :

– Tu diras à ma mère que ma dernière pensée a été pour elle.

– Oui, eh bien, si je peux. Parce que si on te fusille, je serai avec toi devant le peloton.

Max était aux anges, car lui avait remarqué que des élèves se parlaient à l'oreille et s'excitaient autour de notre premier *Charliberté*, quand l'un d'eux en possédait un exemplaire. Et déjà on se rapprochait de notre vendeur pour acquérir ce numéro qui ne manquerait pas de devenir collector.

Un peu plus tard dans la journée, en cours de français, nous avons bien sûr attaqué par l'événement du moment. M. Ségurat a pris la parole pour annoncer :

– Avant de passer aux réjouissances du jour, à savoir le corrigé de vos devoirs, j'aimerais que l'on consacre quelques minutes à un sujet brûlant : la liberté d'expression. Je lis là des choses très intéressantes.

Il ouvrit *Charliberté-Hebdo*, provoquant quelques rires étouffés et regards amusés vers nous – du moins pour ceux qui avaient découvert notre « une », façon supplice de saint Sébastien.

– Voyons… Dans un très intéressant recueil de définitions de cette notion, élaborée par Sarah, je lis celle d'un de vos camarades de troisième B :

« La liberté d'expression s'arrête là où commence le respect de l'autre. » C'est puissant. Question : qui définit cette frontière à ne pas dépasser et où passe-t-elle ? Peut-être pourrions-nous d'abord demander à Tom ce qu'il en pense.

Le rédac' chef a dû prendre quelques secondes pour préparer sa réponse, un temps interminable où son visage a affiché autant de perplexité que d'embarras. Jusqu'à ce qu'enfin sorte de son super cerveau cette réplique *charlibertesque* :

– Le respect n'a pas de frontières, la liberté non plus. C'est comme l'amour. J'estime que j'ai le droit d'aimer ce que je veux, qui je veux et comme je veux. Et je dis m… hum, à ceux à qui ça ne plaît pas. Pour moi, c'est ça, la liberté, monsieur.

Le prof a donné la parole à un garçon qui la réclamait :

– Oui, Rémi ?

– Si on parle de liberté dans une démocratie, c'est la loi qui fixe les limites, non ?

– Bien vu ! a approuvé Tom. On ne dit pas autre chose dans *Charliberté*.

– Non, c'est Dieu qui dit ce qui est juste ou pas, a lancé une fille connue pour des convictions religieuses très… comment dire ? rigoristes. Et quand Dieu dit ce qu'on a le droit de faire ou pas, il faut respecter. C'est ça, la liberté.

– Et celui qui ne croit pas en Dieu ? n'ai-je pu m'empêcher de répliquer. Ou alors dans un autre Dieu qui ne voit pas les choses de la même manière, on fait comment ?

– Ça ne change rien. La loi de Dieu est au-dessus de tout et elle est unique. Ça ne se discute pas.

L'enseignant a préféré éviter de s'attarder sur ce terrain mouvant :

– S'il vous plaît, essayons de ne pas mêler le Tout-Puissant à la discussion. Et vous Joé, vous en dites quoi ?

– J'en sais rien, moi, je l'ai pas lu leur canard.

– On ne parle pas de *Charliberté*, a précisé Tom un peu trop agressif, mais de liberté d'expression !

Joé s'est renfrogné, le prof n'a pas insisté pour ne pas le mettre davantage dans l'embarras, puis il a estimé qu'il était déjà temps de conclure :

– Je crois que Rémi a donné la meilleure piste pour définir la liberté d'expression, en évoquant la loi. Dans une démocratie… laïque (il a bien regardé celle que je surnommais la mante religieuse tant elle était buttée, voire verbalement violente quand on touchait à ses convictions), ce qui délimite nos droits et devoirs, ce sont ses lois. Je vous rappelle que les lois sont votées par le Parlement, c'est-à-dire par les représentants du peuple. Nous ! Mais il n'y a pas que cela qui doit entrer en ligne de compte, il y a aussi l'héritage culturel, et puis ce qu'on appelle le consensus national, parfois un peu en contradiction avec la morale religieuse, ou plutôt les morales. À l'intérieur de ce champ républicain et laïc, toute expression est permise, y compris l'impertinence. Personnellement, je considère que la première marque du respect, c'est la tolérance. Or, justement ! s'est-il tout à coup exclamé en faisant volte-face vers le tableau blanc. Pour faire le lien avec la littérature, je vais vous écrire une citation de Voltaire : « La tolérance n'a jamais excité de guerre civile ; l'intolérance a couvert la terre de carnage. »

Elle figure dans un essai intitulé : *Traité sur la tolérance.* Nous en étudierons quelques pages tout à l'heure, ou plutôt la prochaine fois.

Nous avons entendu dans la classe des manifestations d'ennui abyssal par anticipation, ce qui nous a fait dire, à Tom et à moi – parce que nous en avons discuté un peu plus tard – que pour certains, un dessin bien senti valait mieux que les plus beaux discours. J'ajouterai aujourd'hui : à condition qu'on veuille bien prendre la peine d'essayer de le comprendre au deuxième, voire au troisième degré. Nous allions vite savoir ce qu'il en était avec madame le principal.

3
La surprise du principal

À la récréation de dix heures, à peine étions-nous sortis de la salle de classe que les haut-parleurs ont hurlé :

– *Thomas Fabiani, Sarah Wegman, Maxime Ferrand et Sliman Bouchaib, au bureau de madame le principal. Thomas Fabiani, Sarah Wegman, Maxime Ferrand et Sliman Bouchaib, bureau du principal !*

Tom s'est figé et a un peu pâli. Moi, mon estomac s'est carrément mis en vrille.

– Ça y est, les ennuis commencent, a-t-il soupiré.

Max et Sliman nous ont rapidement rejoints dans le grand hall, et aussitôt le second a lancé les paris :

– Je mise sur un avertissement et la convocation des parents. Qui dit mieux ?

– Si c'est ça, s'est lamenté le premier, je suis mort. Mon père va me tuer et ma mère passera derrière pour m'achever.

– Tiens, ça me donne une idée pour le prochain *Charliberté*, a marmonné Sliman que la situation n'angoissait pas davantage que si je lui avais annoncé que mon poisson rouge faisait de l'aérophagie. Je vais dessiner Max hérissé de poignards et piétiné par une grosse dame hystérique. Et dessous j'écrirai : « Madame Lachenal préparant du pâté de *Charliberté* ».

– Si tu fais ça, c'est moi qui te transforme en chair à pâté, a menacé l'intéressé.

Sur ces joyeuses turlupinades – on remarquera que je dispose d'un très bon dictionnaire des synonymes –, nous nous sommes pointés chez Mme le principal qui nous attendait de pied ferme, derrière son bureau, un exemplaire de *Charliberté* étalé sous les yeux.

– Asseyez-vous ! a-t-elle ordonné en nous toisant par-dessus ses lunettes rondes qu'elle portait souvent sur le bout du nez. Voyons, que je ne me trompe pas sur vos rôles respectifs : Sliman, c'est le coup de crayon façon canif qui griffe l'ego de ses victimes. Tom, vous êtes le chef de rédaction au verbe mordant là où ça fait mal, Maxime le crieur de canards et mademoiselle Wegman… pigiste ?

– Journaliste, ai-je rectifié.

J'étais tétanisée d'effroi, car quand une convocation dans ce bureau commençait de cette manière, c'était forcément l'annonce du sale quart d'heure du siècle.

– Comme vous le voyez, a-t-elle repris, moi non plus je ne manque pas de verve satirique.

De l'index, elle a pointé sur notre journal le dessin de la « Liberté d'expression guidant le peuple ».

– C'est curieux, cette petite boulotte échevelée me rappelle quelqu'un… Mais impossible de me souvenir.

Elle a punaisé son regard bleu azur sur la figure de Sliman qui, enfin, a avalé sa salive.

– Ça va peut-être vous surprendre, mais je ne manque pas d'humour non plus. Je trouve votre feuille de chou très amusante, et pleine de bonnes choses que j'approuve. Vous en reste-t-il ?

– Euh… quoi, madame ? a balbutié Max à qui elle s'était adressée.

– Des *Charliberté-Hebdo* voyons ! Celui-là a été confisqué par le CPE à un élève de 4e qui le lisait alors qu'il était en rang juste avant d'entrer en classe. Je compte bien le lui rendre, assaisonné d'une pincée de remontrances.

Alors, sous nos yeux incrédules, elle a sorti de son sac à main son porte-monnaie et tendu vers Max, entre le pouce et l'index, une pièce d'un euro.

– Oh, non, non, madame, pour vous ce sera gratuit !

– Certainement pas ! Je déteste le favoritisme. Allez, Max, prenez.

Notre vendeur a sorti de son sac à dos un exemplaire qu'il a tendu d'une main hésitante à Mme Lachenal. Plus timidement encore, il s'est emparé du paiement.

– Bon, passons à l'objet de votre convocation, a ensuite lâché Mme le principal.

Elle a replié le journal et repris un air sérieusement sévère ou sévèrement sérieux, avec elle on ne savait jamais comment interpréter les nuances. Nous étions tous les quatre tellement perturbés par cette situation inhabituelle, que je ne suis pas sûre que nous ayons imprimé le message. Il me semble qu'elle nous a donné l'avertissement suivant :

– Comme vous le dites si bien dans votre petit journal, nous sommes en république et notre devise commence par ce joli mot de la langue française : liberté. Vous êtes donc libres de vous exprimer, même si… (elle pencha la tête) se voir caricaturée ne fait pas toujours plaisir. Par contre, cela devra dorénavant se faire en dehors des limites du collège. À l'intérieur, c'est comme un sanctuaire ; on laisse ses opinions politiques, religieuses et même sportives à la grille. Du moins devrait-on. C'est pourquoi je ne tiens pas à ce que votre initiative, que je salue – ne soyez pas inquiets sur ce point – que votre initiative, donc, crée des troubles, comme je devine qu'il s'en produirait si je vous laissais faire. Est-ce bien clair ?

Nous avons hoché la tête, sans relâcher tout à fait notre respiration.

– Cela dit, j'ai une recommandation à vous donner : n'y allez pas trop fort. Restez sobres dans vos articles, vous n'en serez que plus appréciés. Et puis surtout, évitez de blesser qui que ce soit…

Tom a voulu répliquer, mais elle l'en a empêché d'un geste ferme de la main :

– Je sais, Tom, la liberté d'expression, le droit de critiquer, de caricaturer. Mais bon, il faut quand même…

Là, c'est parti comme une gifle :

– Avoir peur ! l'a coupée Tom. C'est ça, madame ? Nous devrions écrire et dessiner avec la peur de vexer ?

– Eh bien oui, un minimum.

– Et il faudrait qu'on cherche à plaire, comme si on faisait du commerce d'idées politiquement correctes ? Je suis désolé, madame, c'est… Mais on va y réfléchir.

Ouf ! Connaissant la force de frappe de Tom en répliques qui tuent, je redoutais le pire. Mme Lachenal a étiré un rictus qui pouvait signifier beaucoup de choses, à commencer par « Attention, jeunes gens, j'ai de l'humour, mais à consommer avec modération ». Après cela, il me semble me souvenir que nous avons eu droit à un discours savamment dosé en compliments, avertissements, reproches et menaces à peine voilées… dont aucun de nous quatre n'a tenu grand compte. C'était une suite de mots sans réelle signification. Autrement dit, je crois que Mme Lachenal nous faisait la morale et que cela glissait sur nos convictions telle la rosée du matin sur une vitre.

4
Premiers vrais soucis

Une fois sortis du bureau, finalement plus vite que nous l'avions craint, et carrément soulagés, nous nous sommes congratulés mutuellement. Aussitôt de retour dans la cour, une meute de curieux a fondu sur nous, telles des mouches sur un pot de confiture.

– Alors ? Vous vous en êtes pris une ? Combien d'heures de colle ? Expulsés ? Combien de jours ?...

Et autres questions auxquelles nous avons pris un malin plaisir à ne rien répondre d'intelligible. Jusqu'à ce que l'une des mouches demande à Max de lui vendre un *Charliberté*.

– Le bureau des ventes sera désormais fermé dans l'enceinte du collège, a répondu notre crieur de canards. Mais je vous donne rendez-vous ce soir à la sortie.

Tom a aperçu Joé qui traînait ses baskets du côté des casiers au fond du préau, en compagnie de ses trois meilleurs copains, élèves dans les autres classes de troisième. C'était assez suave de les voir faire semblant de se désintéresser de notre sort, tout en jetant vers le groupe que nous formions avec nos mouches gourmandes de furtifs regards intrigués, lesquels n'ont bien sûr pas échappé à Tom. Il a demandé à Max de lui donner un exemplaire de notre journal.

– Ah non, mec ! *Charliberté* est interdit de vente dans le collège. Sois un peu raisonnable pour une fois !

– Je n'ai pas l'intention de le vendre. Allez, dépêche.

Le cœur serré par un mauvais pressentiment, j'ai regardé Tom se diriger, journal à la main, vers la bande des Quatre. Ils s'étaient acoquinés parce qu'ils avaient de nombreux points communs : leur taille qui imposait quadruplement le respect quand ils étaient ensemble, leur air renfrogné dès lors qu'un représentant de l'institution scolaire s'adressait à eux, leur attitude goguenarde, voire désinvolte le reste du temps, et enfin leur manque flagrant d'intérêt pour ce qui ne touchait pas à leur immédiate proximité, à savoir les fringues, les scooters, les filles, les jeux de baston... Je suis navrée de l'écrire, mais ces garçons étaient des monuments de clichés, et il était bien difficile de leur trouver autre chose dans la cervelle que des rancœurs, de la crânerie ou de la provoc volontiers vulgaire. Ils étaient aussi craints que détestés, et trouvaient cela sûrement très valorisant puisqu'ils en jouaient jusqu'à la caricature. Au-delà de ces apparences ostensibles, il faudrait nuancer les profils. Joé était le plus « blessé de la vie » et peut-être à cause de cela le plus violent. Kévin, un blond aux yeux bleus plutôt mignon mais dans le genre minet à bagouzes, casquette, colliers et tatouages était... comment dire ? Vraiment con. Pas bête. Con. C'est tout dire. Lorris, son plus proche acolyte de frime, ne valait pas mieux, avec en prime un côté retors qui laissait deviner une probable tendance au sadisme. Il avait la coupe rase, genre vigile de supermarché, pas de tatouage ni de blouson noir, mais une belle tronche d'... Je préfère garder le mot pour moi. Quant au quatrième, un grand black un peu dégingandé prénommé Yann, il riait à tout propos, ce qui aurait pu le rendre sympathique, sauf qu'il adorait se payer la tête des gens. Les cogner à l'occasion ne lui faisait pas peur. À éviter, autant que les autres.

Malgré les précautions de l'administration pour les séparer en les répartissant dans les trois troisièmes du collège, ils se recollaient inévitablement les uns aux autres dès qu'ils mettaient les pieds hors des salles. Avec Tom, nous nous étions demandé au cours d'une discussion ce que des jeunes, que d'aucuns disent « paumés », devaient entendre à la liberté d'expression. Réponse (dixit Tom) : *autant qu'un homme de Cro-Magnon à la théorie du Big Bang*. Il m'a semblé ce matin-là que mon camarade avait quand même envie de vérifier cela… auprès de Joé.

Il s'y est pris ainsi :

– Joé, j'ai un cadeau pour toi !

Notre camarade de classe s'est retourné…

– Ouais, quoi ?

… pour le dévisager, méfiant. Tom était souriant, sincèrement avenant.

– Un exemplaire de *Charliberté*, puisque tu nous as dit tout à l'heure que tu ne l'avais pas lu.

– J'en ai rien à foutre de ton truc d'intello. Tu peux le garder.

– C'est pas un truc d'intello, juste un journal humoristique, a rétorqué Tom avec calme.

Joé s'est approché et l'a toisé avec une petite crispation de mépris au coin de la bouche :

– Les intellos, je peux pas les encadrer. Vous vous prenez pour les maîtres du monde, alors que vous êtes que des…

Je ne suis pas sûre du terme, sinon qu'il était ordurier. Kévin a ordonné à Tom de se casser, le traitant à nouveau d'intello. Mais Tom ne pouvait pas supporter l'idée de ne pas aller au bout de ses entreprises, si désespérées fussent-elles. Il a quasiment obligé Joé à accepter le journal en le lui fourrant dans la main. Ça a failli marcher, mais il a commis une erreur qu'il a regrettée presque aussitôt :

– Si les articles te gonflent, tu n'auras qu'à regarder les images.

Le pire, c'est qu'il a dit cela sans intention ironique.

C'était juste une maladresse. Un éclat de fureur a étincelé dans les yeux de Joé. Je suis arrivée à temps, je crois, car le coup de boule était en route. Joé a froissé et jeté par terre le *Charliberté*, en maugréant un juron, puis il s'est détourné. L'incident était clos. Ouf !

Je n'ai pas eu besoin ensuite de faire la leçon à Tom, il s'en est chargé lui-même :

– Je suis trop con. Je n'avais pas à le provoquer comme ça.

Avant d'ajouter, avec ce petit air espiègle qui me faisait toujours fondre :

– Je devrais peut-être retourner le leur dire, histoire de me faire mieux voir.

5
Charliberté n° 2

Nous avons tenu notre deuxième conférence de rédaction le samedi suivant après-midi, chez Tom. Il habitait avec sa mère, veuve et quelque peu ravagée par la dépression, dans un immeuble cubique d'une paisible petite cité populaire. Je n'étais jamais venu chez lui et… hum, c'était une vraie chambre de mec à qui sa mère laisse tout faire, sauf le lit et le ménage. Moi qui pourtant vivais avec un frère cadet des plus normaux, j'avoue avoir été impressionnée. Jamais je n'aurais imaginé qu'il puisse exister un tel désordre dans un si petit espace. Des tee-shirts à la propreté douteuse traînaient sur la moquette, un cadavre de chaussette trouée avait échoué sur le dossier d'une chaise de camping en plastique vert fluo, les manuels scolaires gisaient sur un bureau au milieu de revues, de livres, de journaux les plus divers... Et sur les murs, je devinais que l'occupant avait voulu à tout prix masquer l'immonde papier peint à fleurs avec des affiches de films et des posters de tout et de n'importe quoi.

Comment un garçon à la pensée si structurée pouvait-il vivre dans un univers aussi chaotique ? À l'image de sa vie familiale peut-être...

– Faites pas attention au désordre, je ne fais le ménage qu'une fois par an, et c'est prévu pour demain.

Perplexes, craignant de marcher sur des œufs ou un DVD, nous sommes entrés et avons attendu que notre hôte nous apporte à chacun un siège, puis un verre, un paquet de Chamallows et des cannettes de soda. Avant que l'on s'installe, il a tiré sa table de bureau au milieu de la pièce. Une hésitation... Puis soudain, d'un mouvement balayant du bras, il a fait table rase. Cela a beaucoup amusé ses camarades de même sexe, moi j'ai plutôt eu une pensée compatissante pour sa mère.

Et d'entrée de jeu, il a annoncé :

– J'ai trouvé le thème du *Charliberté* two !

– Tu peux dire deux, on comprendra, ai-je répliqué, car j'étais déjà à fond pour la défense de la langue française.

– Oui, donc… Le racisme anti-intellos, c'est ce que je propose.

Silence. Lui qui était très fier de son annonce se dégonfla comme une baudruche.

– Ben quoi, ça ne vous plaît pas ?

– Le racisme tout court, ça suffirait, a fait remarqué Sliman.

– Mais non, justement ! En ciblant sur ce type précis de persécution…

– Faut peut-être pas exagérer, l'a coupé Max.

– Ça se voit qu'on ne t'a jamais traité d'intello. Ce que je voulais dire, c'est qu'avec ce thème, on se place dans le parfait prolongement du premier numéro. Vous avez remarqué que pour certains, que je ne citerai pas, la liberté d'expression ça concerne surtout les intellectuels, les mecs qui lisent des bouquins super chiants, les cultureux… bref, nous.

Bonjour la modestie. Et d'en ajouter une couche :

– On pourrait dénoncer cet ostracisme envers les

premiers de la classe, les esprits curieux, les rats de bibliothèque...

– Houlà ! Pouce ! l'a interrompu Max à son tour. STP, n'emploie pas des mots où il faut être académicien pour comprendre. Ostraquoi, disais-tu ?

– Ostracisme. Ça veut dire...

Tom a pris sa respiration, tel le prof frappé de découragement. Il avait dû lire ce mot dans l'un des magazines qui traînaient sur la moquette jaune fatigué, tout autour de nos chaises.

– Le mieux, c'est que je consulte le dico.

Et sur son smartphone, il nous a lu une définition trouvée sur Internet* : « Action d'exclure d'un groupement politique, de tenir à l'écart du pouvoir, une personne ou un ensemble de personnes ; résultat de cette action. » À voir son expression déconcertée, il ne devait pas avoir en tête la même signification.

– Moui... ai-je fait. Un conseil, maître Tom, tu devrais éviter d'employer certains mots quand tu ne sais pas exactement ce qu'ils veulent dire.

---

* *Du site du Centre National de Ressources Textuelles et Lexicales. http://www.cnrtl.fr/definition/*

Et mon Tom, as de la pirouette, de répliquer :

– Justement ! C'est là où je voulais en venir : faisons ça dans *Charliberté*. Donnons un lexique de toutes les notions qui se rapportent à l'exclusion, l'intolérance, le racisme, etc. Avec chaque fois une définition humoristique. Drôle, mais juste. En tête de liste, je verrais bien l'injure suprême : intello ! Sliman, tu proposerais quoi comme dessin marrant pour illustrer ça ?

Perplexe, notre caricaturiste a commencé par gribouiller des trucs sans forme vraiment identifiable. Nous l'avons laissé travailler en poursuivant nos échanges.

– C'est vrai que finalement, c'est un sujet intéressant, ai-je reconnu. Je pourrais commencer par écrire un article sur : Pourquoi est-ce que *intello* est une insulte ?

– Bonne question ! Tu iras la poser à Joé. Je suis sûr qu'il va te retourner une définition qui déchire.

– Une baffe, en somme ?

– Non. Il ne frappe jamais les filles... Enfin, j'espère.

– Moi, je dis que c'est de la jalousie, comme lorsqu'on traite quelqu'un de sale riche, déclara Max, soudainement inspiré.

– C'est plus subtil que ça, a enchaîné Tom. L'intello, c'est celui qui renvoie à la face de l'autre sa médiocrité. Il est le reflet insupportable de ses insuffisances.

– Un reflet ! C'est bon, j'ai trouvé ! a soudain annoncé Sliman.

Peu après, il nous montrait le résultat, sous forme de deux vignettes : un homme préhistorique, la massue dans une main, se grattant l'arrière du crâne de l'autre, s'interrogeait devant un jeune type maigrelet, de notre époque, en jeans et baskets. Ce dernier lui disait dans une bulle « Toi, animo. Moi, intello ». Dans la seconde vignette, l'intello était écrabouillé par la massue. L'homme préhistorique rectifiait avec un air pédant : « Primo, on dit animal. Deuxio, je suis bac de pierre +4. Tertio, t'es un connard. » Au-dessus de ses dessins, il avait écrit : « Scène de racisme ordinaire anti-intello ». Sous-entendu, chacun pouvait avoir sa part de responsabilité. Jugés peu pertinents, ces dessins ne furent pas retenus, mais ils aidèrent notre artiste caricaturiste à trouver plus percutant. Il s'appliqua à brosser une caricature de la bande des Quatre, interpellant un garçon chétif et boutonneux à lunettes rondes (que nous avons pu identifier sans difficulté, puisqu'il s'agissait d'un de nos camarades de troisième. La seule différence était que cet élève était en vrai l'exact contraire de l'intello à bonnes notes). Le cartable sous le bras débordant de règles et de papiers, la victime se faisait insulter dans les mêmes termes que Tom par Joé. Et le minuscule personnage de répliquer : « Euh… Vous pourriez me rendre l'album à colorier que je vous ai prêté hier ? »

Il n'était pas nécessaire de sortir d'une grande école pour se douter que cela n'allait pas faire rire tout le monde. Nous en avons débattu, avec sérieux, en journalistes responsables. Tom ne voyait pas où était le mal : ce n'était ni injurieux ni blasphématoire… juste la vérité présentée de manière rigolote. C'était d'autant plus vrai qu'un autre des garçons de la classe, l'un des meilleurs en français, s'était déjà fait plusieurs fois bousculer et traiter de sale fayot par Joé, simplement parce qu'à son goût il répondait trop souvent en classe. Il lui reprochait même ses bonnes notes.

Le crayon de Sliman a ensuite sauté sur une feuille pour croquer un père furieux contre son fils qui lui rapportait un bulletin scolaire rempli de bons résultats. « T'es la honte de la famille ! Tu veux que tout le monde nous traite d'intellos ? » Et dans une autre bulle, la mère consternée commentait un devoir noté 20/20 : « Et en plus, il écrit sans fôtes ! »

Le *Charliberté-Hebdo* numéro 2 a fait un tabac : cinquante exemplaires vendus en moins d'un quart d'heure, à quelques pas du collège, le mercredi matin suivant. Plusieurs profs nous l'ont même acheté. Pour les cinquante exemplaires restants, comme Max n'avait plus le temps de les placer avant le début des cours, il a donné rendez-vous à ses clients en fin de journée, au même coin de rue.

Dans le collège, notre journal satirique passait de main en main, et l'on se bidonnait d'un bord à l'autre de la cour. De son côté, Tom procédait à des entretiens d'embauche, assis dehors sur l'un des bancs. Du mien, j'étais inquiète. Postée un peu à l'écart, j'observais la bande des Quatre dont les conciliabules ne me disaient rien qui vaille. Un mauvais coup, *des* mauvais coups se préparaient, j'en étais certaine.

Max aussi était anxieux, puisqu'il vint me confier :

– Dis, Sarah, tu ne penses pas qu'on va finir par avoir des ennuis avec notre journal ?

– Non, pourquoi ? ai-je tenté de le rassurer, bien mollement cependant. Qu'est-ce que tu veux qu'il se passe ?

– La bande des Quatre. Ils se sentent insultés comme si on les avait caricaturés en singes.

– Oui, et alors ? Quand ils traitent d'intello, de fayot, de p'tite merde celui qui lève le doigt pour aller au tableau, qu'est-ce qu'on leur dit à eux ? Est-ce qu'ils se demandent le mal qu'ils font quand ils s'en prennent à un boloss ou à quelqu'un qui n'est pas comme eux ?

– Bien sûr, mais eux…

– Eux quoi ? Ah oui, je sais, tu veux dire qu'on doit

avoir peur. Dans ce cas, ce sont les terroristes du collège, et ça leur donne le droit de faire la loi ? Est-ce que c'est ça la République qu'on aime, comme dirait M. Ségurat ? Non. Tom a eu raison de créer *Charliberté* et je suis fière d'être avec lui. Viens, on va le rejoindre.

Rasséréné, notre chef des ventes m'a emboîté le pas. Au même moment, Kévin, « le bien blond con » – ou le contraire, je ne sais plus comment je le surnommais – se détacha de la bande des Quatre pour marcher… droit sur nous ! Mon cœur s'est emballé. Celui de Max aussi je suppose.

– Sarah, va prévenir un surveillant, m'a-t-il murmuré, affolé.

– Sûrement pas ! On fait front.

Le grand minet, le sourire mièvre et la démarche chaloupée, interpella Maxime :

– Eh, Maxou, tu me files un exemplaire de votre torchon ?

À mon grand étonnement, mon camarade fit face, et bravement :

– Pas de problème, c'est un euro, tout à l'heure après la classe.

– Attends, je peux pas attendre, j'suis trop impatient. Quoi ? Toi aussi tu crois que je ne sais pas lire ? Tu veux me vexer ou quoi ?

Max a estimé qu'entre perdre un exemplaire de *Charliberté* ou trois dents de devant, il n'y avait pas photo.

– OK, je t'en donne un.

– Non, j'en veux quatre.

Max a esquissé un accusé de réception gêné, puis a obtempéré. Mais à peine eut-il tiré de sa sacoche en bandoulière son paquet d'exemplaires, que Kévin le lui a arraché des mains. Et le fumier s'est tiré avec.

– Hé ! Au voleur ! s'est écrié Max en se lançant sur ses talons.

J'étais derrière, protestant encore plus fort que lui. Mais Kévin s'en fichait royalement. Observé et applaudi par ses potes hilares, il a commencé à distribuer nos journaux à tous ceux qui passaient à sa portée, et ceux qui s'écartaient pour l'éviter le recevaient dans la figure. Quand il a eu rejoint ses copains, il ne lui restait plus qu'une poignée d'exemplaires. C'est là que Tom est intervenu…

6
L'homme n'est pas un animal, sauf si...

– Kevin, attends !

Tom ne montrait pas un visage hostile ou en colère, contrairement à l'autre abruti.

– Quoi ? T'as un problème ?

Dans la cour, sentant venir la bagarre, les élèves ont commencé à s'approcher doucement, pour ne pas dire prudemment.

– Pas du tout. Non, je voulais juste…

– Si tu veux te battre, on se retrouve à la sortie.

– Me battre ? C'est bon pour les animaux ou les primitifs. Tu te trompes, je ne suis pas comme ça, moi. Je suis un être humain civilisé. Je dialogue, j'essaie de comprendre, je partage… J'ai la confrontation pacifique ; rien à voir avec les chiens.

Et toc ! À la fin de l'envoi, je touche !

– En fait, je voulais juste te féliciter.

Tom a haussé le ton de manière à ce qu'alentour personne ne perde la suite.

– Me féliciter de quoi, pauv' bouffon ?

– Mais voyons, de ta bravoure ! Écoutez, les autres, Kévin est un vrai chevalier. Il s'est attaqué tout seul, sans sa garde rapprochée, à un redoutable adversaire.

Il a désigné Max qui s'est pincé les lèvres pour ne pas rire.

– Vous vous rendez compte ? Il a sauté sur le dangereux Maxime Ferrand, un mètre soixante-cinq d'os et de cervelle, soixante-six kilos tout mouillé, et il lui a arraché sa pile de journaux subversifs. Son exploit accompli, il s'en est allé bravement avec son butin pour le distribuer aux pauvres. En voilà, un Robin des Bois !

Décontenancé, Kévin en est d'abord resté coi, consultant du regard ses acolytes qui ne savaient pas plus que lui comment répliquer. Mais cela ne pouvait durer.

– Allez, un tel fait d'armes, ça s'applaudit ! a insisté Tom un peu lourdement. Bravo ! Bravo à l'héroïque chevalier Kévin !

Nous n'avons été que quatre à faire monter l'applaudimètre, les *charlibertaires**, mais ça s'est entendu. Les spectateurs se contentaient de sourire ou de rire dans leurs mains. Ce pauvre imbécile de Kévin a quand même fini par percuter et sa réaction a été à la hauteur de son QI : donner une tape de défi sur l'épaule du jeune Cyrano en crachant avec un rictus de mépris :

– Pauv' connard !

Et comme Tom connaissait ses classiques – nous avions étudié avec M. Ségurat la pièce d'Edmond Rostand, *Cyrano de Bergerac*, avec ses répliques cultissimes –, il renvoya en tendant la main :

– Enchanté, moi c'est Tom… Allez, mon frère, détends-toi, c'est juste pour rigoler. On ne va pas déclencher une guerre pour si peu, hein ? Et si tu veux des excuses pour… pour ce que tu veux en fait, c'est d'accord. Je n'ai pas de problème avec ça.

---

* *Expression inventée par Sliman dans l'une de ses caricatures.*

C'est alors que Joé est venu se mêler à la conversation, avec sa subtilité habituelle :

– Fais gaffe à toi, Tom. On va te massacrer, si tu continues.

– Me massacrer ? Une menace de mort ? Et pourquoi est-ce que je devrais arrêter de vivre ? Parce que je vous gêne ?

– Comme tu veux. On n'est pas des intellos, nous. Je t'aurai prévenu.

– Qu'est-ce que tu veux que je te réponde ? Je suis pacifiste. Peace and love. Embrassons-nous… Eh, Joé !

Mais Joé avait tourné les talons en indiquant à sa petite meute de prendre le large, d'un air de dire « On règlera ça plus tard ». Et c'est bien ce qui m'inquiétait...

En fin de journée, rien ne s'était passé. Rien non plus le lendemain. Et puis j'ai été rassurée d'apprendre, par un Tom surpris que je puisse m'en enquérir, qu'il n'avait pas eu à défendre son honneur avec les poings. C'est en fait le mercredi suivant, à la sortie de midi, que les choses se sont gâtées. Voici les faits tels que j'ai pu les reconstituer, aussi fidèlement que possible, à partir de divers témoignages.

Après avoir donné rendez-vous à son équipe de rédaction vers 15 heures chez lui, pour préparer notre troisième numéro, nous nous sommes séparés. Il est parti à pied vers l'arrêt du bus qu'il avait l'habitude de prendre pour rentrer chez lui. La bande des Quatre l'y a rattrapé et cerné au fond de l'abribus qui s'est vidé comme par magie de tout autre occupant. Pourtant, ce jour-là, il pleuvait.

C'est Joé qui a ouvert les hostilités verbales :

– Écoute bien ce qu'on a à te dire, l'intello : ton Charlimachin, c'est terminé. Y'aura pas de numéro trois. Tu diras que vous avez fait faillite.

– Je veux bien, mais… Non. Parce qu'on n'a pas fait faillite, pas encore, même si le numéro deux accuse un déficit de 50 euros à cause de l'acte de bravoure de Kévin. Je ne peux pas mentir, Joé, je suis désolé.

– Comme tu veux, mais si vous en faites un troisième, on te casse la tête.

– Heureusement que j'ai la tête dure, alors.

– Tu préfères qu'on te pète les genoux ? a proféré Kévin.

Et dans ses yeux brûlait une rage qui le rendait sûrement capable de cette infamie. N'étant pas suicidaire, Tom s'est contenté d'esquisser un geste d'apaisement, et ils en restèrent là. Quand nous l'avons retrouvé dans sa chambre à l'heure dite, aucun de nous trois n'aurait pu déceler dans son comportement le moindre indice des menaces de la bande des Quatre. Tom était peut-être même encore plus enjoué et en verve que jamais. Il nous a proposé un thème intéressant pour axer le numéro suivant : « Un être humain, c'est quoi ? » Nous devions partir d'une citation que Tom avait trouvée sur Internet, d'un biologiste et zoologiste célèbre, Konrad Lorrenz : « Le chaînon* entre l'animal et l'homme vraiment humain, ce chaînon, c'est nous ! » Nous avons décidé qu'elle figurerait en

* *« Le chaînon manquant » est une théorie, aujourd'hui abandonnée, selon laquelle il resterait à découvrir un lien d'évolution graduelle entre le singe et l'homme.*

manchette de notre hebdo, au-dessus d'un dessin de Sliman légendé ainsi : « Et nous, nous avons trouvé le chaînon manquant entre les primitifs et nous, c'est eux ! » L'illustration devait montrer une caricature de nous quatre, pris entre hilarité et épouvante, poursuivis par quatre sauvages armés de massues. Sliman n'avait pas poussé la provoc jusqu'à caricaturer les tronches de la bande des Quatre, mais l'allusion était flagrante. Nos articles, ne prêtant pas à polémique, du moins le pensions-nous, suggéraient une réflexion sur la violence animale et la nature prédatrice de l'espèce humaine. Nous donnions un petit aperçu de ce qui permet théoriquement à nos sociétés de vivre en harmonie, sans se massacrer mutuellement : la capacité à savoir équilibrer ses besoins, freiner ses appétits, tout simplement être humaniste autant qu'humain. C'était le *Charliberté* dont j'étais la plus fière, parce qu'il élevait vraiment le débat au plus haut niveau, tout en gardant un ton humoristique et un brin impertinent. Hormis peut-être, à la rigueur, éventuellement, si on cherchait la petite bête et avec un esprit tordu, la page de couverture. Mais honnêtement, elle ne faisait qu'illustrer un exemple de la bêtise ordinaire. Quant au contenu, il était réellement « correct ». C'est pourtant ce numéro qui nous a valu le plus de réactions délirantes.

Après la vente – nous avions tiré à deux cents exemplaires – qui s'était plutôt bien déroulée, nous avons eu droit à un débat musclé pendant le cours de français. Enfin, pas vraiment un débat, puisque d'entrée de jeu notre ultrareligieuse de service a attaqué :

– Je ne suis pas du tout d'accord avec ce qui est écrit dans *Charliberté* ! Je trouve même que c'est injurieux pour les croyants comme moi.

– Qu'est-ce qui vous a dérangée ? a demandé M. Ségurat, en s'efforçant de rester zen.

– L'homme n'est pas un singe ! C'est un grave péché de le comparer à un animal, ou alors si, s'il ne croit pas en Dieu.

Aussitôt, des voix se sont élevées pour dénoncer ces propos, effectivement consternants. Le ton est monté, la fille s'est radicalisée davantage, si c'était encore possible. On aurait vraiment dit qu'elle se sentait agressée par une meute de loups et qu'elle défendait sa peau.

– Il devrait être interdit, ce journal. Il est blasphématoire ! criait-elle, les joues empourprées.

– Et la laïcité, t'en fais quoi ? répliqua aussi fort une autre fille.

– Rien à fiche de la laïcité. Dieu est au-dessus de tout, et il faut craindre sa colère. Vous irez tous en enfer !

Mince alors, c'était flippant.

Quelque peu dépassé par la tournure que prenait cette discussion qui n'aurait dû être que banale, le prof a tenté de calmer le jeu, la foire d'empoigne plus exactement, sans y parvenir totalement. C'est alors que Joé est intervenu pour abonder dans le sens de l'ultrareligieuse, mais d'une façon qui lui ressemblait bien, sournoisement menaçante :

– C'est vrai qu'ils n'arrêtent pas d'insulter les convictions des gens. Moi, je dis qu'on devrait faire une pétition, peut-être pas pour interdire *Charliberté*, mais au moins pour qu'ils ne disent plus n'importe quoi. Faudrait créer une sorte de commission de lycéens qui dirait ce qui est convenable et ce qui l'est pas.

Nous avons échangé des regards effarés entre charlibertaires. Tom bouillait, mais il respectait ce dont nous étions convenus avant l'entrée au collège, à savoir n'intervenir dans aucune discussion éventuelle initiée par notre publication. Nous y avions mis ce que nous avions envie d'exprimer, ce n'était plus à nous de commenter nos articles. Et je dois dire que nous n'avons pas été déçus. Du coup, nous avons fini par afficher tous les quatre un air de contentement qui devait faire encore plus enrager nos détracteurs.

7

L'embarras du principal

Deux jours après la sortie de *Charliberté* n° 3, deux événements nous ont mis – Tom à un degré supérieur – dans l'embarras et très en colère. Cela a commencé par l'attaque qu'a subie Max, ce vendredi-là un peu après 7 h 30, lors de la vente du journal à son coin de rue. Joé et sa bande l'ont carrément agressé, avec assez de fourberie pour ne pas lui laisser de traces sur le corps. Ils l'ont d'abord cerné et plaqué contre le mur.

– Écoute, mec, l'a interpellé Joé, tu vas arrêter de vendre cette saloperie de journal d'intello, sinon on te casse la tête comme t'as pas idée.

– Moi, je te pèterai les dents de devant à coups de talon, a proféré Kévin.

– Moi, je t'éclaterai la rate à coups de latte, a enchaîné Yann, tout sourire comme s'il ne s'était agi que d'une partie de rigolade.

Et pour ne pas être en reste, Lorris, le quatrième larron, a ajouté sa petite touche de sadisme personnel :

– Et si ça te suffit pas, je te ferai une balafre de là… à là.

Et de l'index, il balaya sans ménagement la figure blême de notre vendeur.

Bien sûr, tout cela n'était que du flan pour le terroriser, mais sur le coup, ce pauvre Max a réellement cru sa dernière heure venue. Suprême humiliation, il s'est mis à pleurer. Exactement ce qu'il ne faut pas faire devant des bêtes totalement dépourvues de compassion. Ils ont éclaté de rire en le traitant de « chochotte », de « pleurnichard » et autre « bébé à sa maman ». Max n'était pas un lâche, il avait su le prouver depuis la création de *Charliberté*, mais sa peur avait été telle qu'il nous a annoncé un peu plus tard, avant l'entrée en cours et après nous avoir raconté l'agression :

– Je suis désolé, Tom, j'ai pas le gabarit pour supporter ça. Ces mecs sont vraiment capables de me casser les dents, et j'y tiens, moi, à mes dents.

– Mais attends, Max, c'était justement pour te faire lâcher le morceau ! Ils savent bien ce qu'ils risqueraient s'ils faisaient ça.

– Ah oui, et quoi ? Trois jours d'expulsion, des heures de travaux d'intérêt général, et puis… comment est-ce qu'ils appellent ça déjà ? Un rappel à la loi. C'est rassurant, je te jure… Tu ne te souviens pas comment ça s'est passé pour Julien Béraud, quand ces salauds de quatrième C l'ont tabassé à la sortie ?

Tom s'est trouvé bien embarrassé pour répliquer à l'argument, et pour cause puisque les *tabasseurs* en question n'avaient eu droit qu'à une « sévère » remontée de bretelles et une expulsion temporaire. Ils étaient revenus au collège, plus crâneurs que jamais, comme au retour d'une semaine de vacances. Le Julien en question, lui, il avait dû changer de collège et même d'adresse, parce qu'il était devenu « une balance » et qu'il recevait tous les jours des menaces de mort. Dans ces conditions, comment réfuter les craintes de notre ami ?

Tom lui a alors proposé de faire un *break* :

– Tu pourrais arrêter de vendre *Charliberté*. Mais

nous, nous continuerons à t'envoyer nos articles par mail. Tu resterais à la rédaction, mais comme si tu étais parti en congé à l'étranger. Et puis dans quelques semaines, on en reparlera. D'accord ?

Rassuré et touché par cette offre, Max a accepté. Les larmes d'émotion qui lui sont montées aux yeux ont bien failli me faire fondre moi aussi. On est allés en cours, pour ainsi dire bras dessus bras dessous. Joé nous a regardés bien fixement entrer dans la salle, avec son petit sourire sadique. J'ai failli le baffer. Heureusement pour lui que je ne suis pas un animal. Quoique... certaines créatures mériteraient que je me change en tigresse.

À la récréation de 10 heures, les haut-parleurs du collège ont annoncé la convocation de Tom chez le principal.

– Qu'est-ce qu'elle me veut encore ? a-t-il grommelé.

– Acheter le dernier *Charliberté*, ai-je répondu pour plaisanter.

J'étais quand même inquiète pour lui. Et spontanément je lui ai annoncé que je l'accompagnais.

– Non, non, c'est moi qu'elle veut voir. Je suis le rédacteur en chef, c'est à moi d'assumer, et à moi seul.

– Quoi ? Sûrement pas ! Nous sommes une équipe, une équipe de rédaction solidaire, que ça te plaise ou non. Et la solidarité entre charlibertaires, c'est sacré !

– Je confirme ! a ajouté Sliman qui s'était rapproché en entendant la convocation de Tom.

– OK, a admis ce dernier sincèrement touché. Eh bien, qui m'aime me suive !

C'est ainsi que nous nous sommes présentés tous les trois chez le principal. Nous nous attendions, comme la fois précédente, à ce qu'elle tique en voyant le « pack *Charliberté* » débarquer en force dans son bureau. En fait, elle a souri… pas longtemps. Presque aussitôt, son petit sillon de sévérité entre les yeux est réapparu.

– Asseyez-vous, nous a-t-elle ordonné. Bon, à nouveau je suis ennuyée à cause de votre journal satirique. Comme vous le savez, je n'ai personnellement rien contre ; je trouve même qu'il s'améliore de numéro en numéro.

Nous avons fièrement relevé le buste. La suite a été nettement moins sympathique.

– Mais il provoque des réactions. Hier par exemple, j'ai reçu la visite du père d'une élève de votre classe, que je ne nommerai pas…

Inutile, nous avions compris.

– Il était très remonté contre *Charliberté*. Il a exigé qu'il soit interdit et que ses auteurs soient sanctionnés. Il m'a même avertie que si rien n'était fait, il écrirait au recteur d'académie en personne. J'ai failli lui suggérer le ministre directement, mais il aurait été capable de me prendre au mot. Toujours est-il que c'est mon rôle de gérer ce genre de désordre.

– On est vraiment désolés, est intervenu Tom. Ce n'était pas le but de notre petit journal de collégiens, je vous le jure. Mais enfin, c'est ça le risque de la liberté d'expression, non ?

– Ça va, je sais, merci. Mais être désolé, ça ne résout pas mon problème.

Nous nous sommes regardés avec Tom. C'était quoi alors, son problème ?

– Soyons clairs ; je vais être obligée de vous demander d'arrêter votre publication.

Consternation. Tom a émis un « Ah » tout simple, mais terriblement explicite.

– Ça ne m'enchante pas de vous demander une telle chose, a repris Mme Lachenal en adoptant un air contrit. Mais il faut savoir respecter les différences de sensibilités. Si certains de vos propos ont choqué, il faut en tenir compte pour la suite. Mais vous connaissant, je doute que vous ayez envie de vous modérer. Est-ce que je me trompe ?

Silence. La réponse était tellement évidente. Mme Lachenal a cru bon tout de même d'insister lourdement, en nous sortant un drôle d'argument :

– J'ai appris que l'autre jour, durant le cours de M. Ségurat, quelqu'un vous a demandé, Tom, si vous étiez croyant. Et vous auriez répondu être, je vous cite « athée de chez athée »...

Mon ami a confirmé de la tête. Où voulait-elle donc en venir ?

– Eh bien, vous n'auriez peut-être pas dû le dire, en tout cas pas comme cela. Vous avez choqué certains de vos camarades qui eux sont très croyants, et je pense que cela a contribué au malaise. Ce que je veux vous faire comprendre, c'est que bien sûr vous êtes totalement libre de vos opinions, mais dès lors que vous vous exprimez en public, vous vous devez d'être respectueux de l'autre. C'est ça la démocratie !

– Parce que dire la vérité, ce n'est pas respectueux ?

Et moi d'ajouter :

– Et pas démocratique ?

– Ce n'est pas ce que je veux dire ! commença-t-elle à s'énerver. Voyons, jeunes gens, vous savez parfaitement que toute vérité n'est pas toujours bonne à dire. Il faut des circonstances, une certaine manière d'amener les choses. Du tact !

Durant un moment, j'ai cru qu'elle nous faisait le coup de l'humour pince-sans-rire, de l'ironie à contre-pied. J'ai perdu cet espoir en constatant à son expression qu'elle pensait réellement chacun des mots de sa leçon de morale. L'effarement m'a saisie, au point que j'ai été incapable de prendre la parole. C'est Sliman qui l'a fait, le si discret Sliman :

– Pardon, madame. Moi, je suis croyant et pratiquant… et *Charliberté*.

– Oui, bien sûr, mon petit Sliman. Je sais combien vous, vous êtes tolérant et… comment dire ?

– Intello ? a lancé Tom.

Aïe ! Premier tir de mortier de la contre-offensive *tomique.* J'ai vu venir *l'atomique*, et son effet de souffle :

– Tom, ce n'est pas en étant insolent que vous me ferez changer d'avis.

– Mais, madame, votre avis, on n'en veut pas, même si tous les avis sont intéressants. Tout ce qu'on fait, on le fait en dehors des murs du collège. Qu'est-ce que vous avez le droit de nous interdire au juste ?

– Mais voyons, tout ! Tout ce qui risque de perturber la tranquillité de cet établissement.

Il fallait d'urgence que j'intervienne :

– Pardon, madame Lachenal, est-ce que je peux vous poser une question ?

– Allez-y, soupira le principal.

– Vous êtes de quel côté ?

– Comment ça de quel côté ? Vous ne comprenez vraiment rien ou vous le faites exprès ? Je suis du côté de la raison, ça ne vous paraît pas évident ?

– Si, bien sûr.

– Moi aussi, j'ai une question, a repris Tom. Max a été agressé ce matin par Joé et sa bande. Ils l'ont menacé de lui casser les dents et de lui balafrer la figure. Si ça arrivait, qu'est-ce qu'on devrait dire à Max ? « C'est de ta faute, tu n'avais qu'à pas provoquer la colère de tes petits camarades de classe. Tu l'as bien cherché, alors ne viens pas te plaindre ! » ?

Le principal a bredouillé un « Mais non… », puis elle a éructé que ça ne se passerait pas comme ça. Elle était en fait désemparée et cela faisait presque de la peine à voir. Puis finalement, elle est revenue à la raison, la nôtre :

– Bon, j'admets que je n'ai pas le pouvoir de vous empêcher de vous exprimer. En revanche, j'ai celui de vous avertir, et d'ailleurs aussi la bande à Joé que je vais convoquer après vous...

– Oh non, s'il vous plaît, madame, ne faites pas ça ! l'ai-je suppliée. Si vous leur demandez de s'expliquer sur l'incident de ce matin, c'est sûr qu'ils vont massacrer Max, et Tom juste après, et peut-être même Sliman et moi. Je vous assure, ce n'est vraiment pas une bonne idée.

– Oui, bien sûr, a-t-elle reconnu. Il faut quand même que les tensions s'apaisent.

– Ça, c'est à nous de nous en charger, a annoncé Tom. Je ne sais pas encore comment, mais on trouvera. En tout cas, il ne faut pas compter sur moi pour renoncer à *Charliberté.* Ce serait comme… Ce serait capituler devant la bêtise et l'obscurantisme. Et ça, je ne peux pas. Désolé.

C'était beau, sur le principe, mais j'avoue qu'à cet instant-là, je ne croyais pas du tout qu'il soit possible de rendre les idiots intellos et les radicaux amicaux, ou alors peut-être, en admettant que l'invraisemblable reste toujours possible, grâce à un travail de longue haleine. Le problème, c'est que ce n'était pas notre conception pour *Charliberté-Hebdo.* Nous, ce qu'on faisait, c'était juste un journal pour rire, poser des questions de fond et à la rigueur lancer des pistes de réflexion. Sûrement pas d'imposer des vérités prédigérées et prétendre ouvrir les consciences. *Charliberté*, ce n'était qu'un miroir un peu déformant de quelques réalités contemporaines, et sûrement pas un journal d'opinion. Et puis après tout, c'était à ceux qui en éprouvaient le besoin, comme notre prof de lettres, de débattre, et à ceux qui avaient assez d'oreilles pour écouter, d'évoluer. Avec le recul, je me rends compte que finalement, ce n'était pas tant le contenu de *Charliberté* qui était le plus subversif, que sa seule existence.

Et nous avons tenu notre quatrième conférence de rédaction, le samedi après-midi suivant. Thème retenu : *C'est quoi la vérité ?* J'ai adoré le dessin de couverture proposé par Sliman : il a représenté Ève devant l'arbre de la Connaissance. Le plus rigolo, c'est qu'elle me ressemblait. Collégienne, j'étais une petite brune aux cheveux courts, un peu garçon manqué, mais néanmoins coquette. J'ai reproché à Sliman, gentiment bien sûr, de m'avoir représentée en petite grosse, avec un sourire niais que je ne me connaissais pas. Il m'a simplement répondu : « Ah oui ? Mince ! », mais il n'a rien modifié. Ève, donc, recevait du serpent tentateur la fameuse pomme en déclarant : « Mange, ceci est la vérité vraie. Je l'ai moi-même cultivée avec amour… Sssss ! »

8

L'opposition s'organise, les ventes grimpent

Le *Charliberté* numéro 4, puis le 5, non seulement n'ont pas été censurés ni n'ont subi de tentatives d'interdiction, mais ils ont marqué une nette envolée des ventes. Du coup, l'équipe a dû s'étoffer, car à trois nous ne pouvions plus assurer toutes les obligations et tâches périphériques, liées à l'animation du journal. Nous étions désormais sept au comité de rédaction, pour préparer le sixième *Charliberté*. Les crieurs aussi étaient plus nombreux, avec trois bénévoles supplémentaires, hypermotivés et supervisés par… Max. Finalement, notre compagnon du premier jour n'a pas pu rester longtemps éloigné de *Charliberté*, même s'il a préféré ne plus figurer dans le comité rédactionnel.

L'euphorie nous avait gagnés, mais pas l'insouciance. Cette expérience de presse étudiante nous avait forgé le caractère et sacrément fait mûrir, comme font mûrir les responsabilités assumées à 100 %. Nous avons cru, un peu naïvement, que la bande des Quatre avait renoncé à nous chercher des poux, écrasée qu'elle devait être par notre succès. La vérité, c'est qu'elle guettait le moindre de nos faux pas, la plus petite erreur exploitable. Et naturellement, parce que c'est dans la nature humaine de commettre des impairs, plus encore dans celles d'ados de quinze ans, elle a fini par arriver !

C'était un article anodin sur la lecture de livres sur liseuses numériques, que j'avais rédigé suite à une étude publiée dans un magazine pour ados. J'avais un peu ironisé sur le manque d'engouement pour cette forme d'ouvrages, m'interrogeant sur le risque d'éloigner encore davantage de la lecture les enfants allergiques « aux pages blanches pleines de mots ». Mon propos pouvait laisser une petite ouverture à la mauvaise interprétation, du genre : mépris des intellos envers les derniers de la classe.

Mais je crois que c'est surtout le dessin réalisé par Sliman pour illustrer mon papier qui n'était pas passé. On y voyait un groupe de quatre jeunes un peu excités, dans une cour d'école. Il fustigeait l'un d'eux qui exhibait un exemplaire de *Oui-Oui et la voiture jaune*. Les dialogues dans les bulles étaient savoureux : « Quoi ? T'as lu un livre en entier ? T'es malade ou quoi ? Les intellos t'ont contaminé, va falloir qu'on t'envoie en cure de désintox. » Aucun ne ressemblait à ceux de « notre » bande des Quatre, mais enfin… il y avait de quoi y voir des similitudes. En tout cas, eux en ont vu. Et les loups-garous sont sortis de leur tanière. Leur première proie : Tom.

Ils l'ont coincé au pied de son immeuble, alors qu'il rentrait chez lui un vendredi en fin d'après-midi.

– Ça t'amuse de te fiche de notre gueule en public ? l'a interpellé Joé.

– Cette fois, mon vieux, tu vas morfler, a enchaîné Kévin, blanc de fureur.

Tom a joué l'incompréhension.

– Qu'est-ce que j'aurais dit de mal ? Vous pouvez m'éclairer, s'il vous plaît ?

En guise d'éclairage, Kévin lui a fichu son poing dans la figure. Lorris, connu pour sa lâcheté, a asséné un coup de pied par derrière, tandis que Yann tenait Tom au col. Quant à Joé… Tom n'a pas su dire s'il avait participé physiquement à l'expédition punitive. Par contre, il l'a entendu crier : « Ça suffit ! Il a son compte ! » suivi d'une mise en garde à ses potes si leur victime portait plainte. Et de rappeler qu'ils ne devaient pas laisser de traces.

Tom est remonté chez lui en titubant, un mouchoir ensanglanté sous le nez, mais soulagé de n'avoir pris que quelques coups sans réelles conséquences. Il a tout de même noté que le plus douloureux avait été porté par Kévin, et ça, il n'était pas près de l'oublier.

– S'ils y reviennent, je ne me laisserai pas faire, nous a-t-il assuré le lendemain, chez lui.

Les Quatre avaient sans doute calculé qu'ils devaient frapper avant notre conférence de rédaction du samedi, et de manière à laisser deux jours à Tom pour récupérer de son châtiment avant de se repointer au collège.

– Tu devrais porter plainte au commissariat, lui ai-je recommandé.

De l'agression, il gardait un bel hématome à la face et un autre à la cuisse qu'il nous montra presque fièrement. Ce n'était sans doute pas assez pour envoyer les voyous dans le bureau d'un juge, mais quand même… De toute façon, il n'était pas question pour lui de donner une suite à l'incident :

– C'est rien. On oublie et on avance.

Le ton ne souffrait pas qu'on insiste. Mais nous aurions quand même dû continuer d'en discuter, ne serait-ce que pour mettre au point une stratégie de défense, fixer des limites, prévoir des interlocuteurs à contacter si jamais… Mais Tom s'était déjà projeté dans le numéro suivant et donnait ses idées, excellentes comme toujours.

Et nous sommes restés nous-mêmes, pour traiter du thème de la politique dans les cours d'école (et de collège), brocardant les politiciens opportunistes, les jeunes *jem'enfoutistes* qui oublient combien la démocratie est notre bien commun le plus précieux, les électeurs versatiles, le politiquement correct qui ne fait pas avancer les choses, etc. Sans oublier d'avertir qu'il ne faut jamais mettre tout le monde dans le même sac, et que la liberté d'expression politique, c'est d'abord et avant tout une chance formidable. N'empêche, la bande des Quatre n'en avait pas fini avec nous…

Pour la première fois, ils s'en sont pris à moi. C'est Kévin, en fait, encore lui, qui m'a coincée dans un couloir :

– Viens là, c… ! m'a-t-il interpellée en m'attrapant par un bras.

Je censure les insultes dont il m'a gratifiée, tant leur vulgarité dépasse ce qu'un être civilisé peut supporter d'entendre, de lire ou d'écrire.

– T'es bonne qu'à te faire e… comme une c… C'est toi qui as écrit cet article de m… sur les mecs comme moi qui c… dans les b… des intellos ?

Il a prononcé bien d'autres insanités, qui me sont passées largement au-dessus. Du haut de mon mètre soixante-huit, je l'ai quand même toisé – pourtant, j'avais les jambes en coton et le cœur cognant dans ma poitrine jusqu'à la douleur – et je l'ai défié – je n'aurais peut-être pas dû :

– C'est tout ce que tu as dans le dictionnaire ? C'est un peu court… comme le reste, ai-je ajouté avec un rictus de dédain. Et pourquoi est-ce que tu ne me tapes pas ? C'est de ton niveau pourtant, frapper les petits à lunettes et les filles.

Son visage s'est crispé en une grimace de mépris réellement hideuse, puis j'ai reçu la gifle qui lui démangeait la main. L'affaire en est restée là, sans autre stigmate qu'une joue qui allait rester rouge quelques minutes. Je n'en ai même pas parlé à mes camarades. Il est vrai que les événements se sont enchaînés un peu vite à partir de ce matin-là.

D'abord, nous nous sommes découvert de nouveaux détracteurs. Dans la cour, à chaque récréation, des élèves venaient nous aborder, nous les fouteurs de merde charlibertaires. Les plus *soft* nous reprochaient notre intolérance – un comble ! – les plus hard nous menaçaient, toujours de manière insinuante. Ils n'étaient pas très nombreux, mais dans un collège de six cents élèves, on peut facilement trouver une ou deux dizaines d'abrutis et extrémistes de tout poil, ces derniers ayant une fâcheuse tendance à se regrouper. Ce qui nous troublait le plus dans ces comportements, c'était cette impression bizarre qu'ils avaient épluché les *Charliberté-Hebdo* avec minutie pour en dénicher tout ce qui pouvait prêter à interprétation, et qu'ils s'étaient partagé leur sale boulot de dénigrement.

C'est Tom qui le premier a compris ce qu'il se tramait, lorsqu'il a surpris Joé discutant avec l'ultra-religieuse de la classe. C'était à l'heure de la sortie, un soir, alors que la foule des élèves se hâtait de regagner l'air libre, et il était évident qu'ils n'avaient pas envie qu'on les remarque ensemble. Une rapide enquête le lendemain nous a permis d'apprendre que ces deux suppôts du *Mauvais œil* avaient fait alliance pour mener campagne contre nous.

Aussi surprenant que cela paraisse, nous l'avons pris comme une excellente nouvelle :

– Une cabale anti-*Charliberté*, c'est la consécration ! s'est réjoui Tom, lors d'une réunion de crise dans notre petit bistrot.

Effectivement, nous pensions que cela allait nous amener en réaction tout un tas de ralliements, ce qui n'a pas manqué de se confirmer, et qu'on parlerait de plus en plus de nous, bien au-delà du cercle de la jeunesse de notre quartier. Cela n'a pas tardé, puisque le quotidien local a demandé une interview à Tom.

L'euphorie de cette nouvelle étape de notre parcours charlibertaire nous a un peu, un peu beaucoup même, fait sous-estimer la haine qui consumait les plus virulents de ces réfractaires à notre liberté d'expression. Les injures que nous avons entendues, lancées par des bouches tordues de mépris, variaient suivant les convictions : mécréants, gauchistes ou fascistes (sans même d'ailleurs savoir ce que signifiaient ces termes), agitateurs ou encore et toujours… intellos ! Si au moins ils avaient osé *trublions rigolos*.

En attendant, grâce à cela, nos ventes grimpaient, grimpaient, grimpaient… La chambre de Tom ne suffisait plus à entreposer les tirages de *Charliberté-Hebdo*. Il avait dû squatter le garage où sa mère peinait de plus en plus à garer sa voiture, pourtant une toute petite citadine.

Tout allait pour le mieux, et franchement nous nous amusions comme des petits fous débordant d'enthousiasme. Jusqu'à l'attentat…

9

La contre-offensive de Tom

Nous ne l'avons appris que le lendemain après-midi.

Déjà, le matin, l'inquiétude nous avait saisis, car Tom n'était pas reparu au collège et nous ignorions pourquoi. Et impossible de le joindre sur son mobile. De mon côté, j'essayais d'observer l'attitude de Joé, mais son air renfrogné ne laissait rien deviner d'inhabituel. À peine ai-je pu remarquer une légère lueur d'intérêt dans son regard torve lorsque le prof de maths, faisant l'appel à 8 heures, a noté l'absence de notre ami.

Quand celui-ci est entré, en retard, dans la salle où venait de commencer le cours d'histoire, nous avons tous compris qu'il s'était produit un événement grave. Outre son teint livide, ses yeux rougis de fatigue et sa main droite emmaillotée dans un pansement, il affichait une expression de fureur comme je ne lui en avais jamais connu. À son entrée, l'enseignant a pris l'air sévère du prof mécontent qu'un retardataire perturbe son cours. Mais il a vite changé d'attitude :

– Que se passe-t-il, Tom ? s'est-il enquis.

Le garçon s'est approché pour lui murmurer la réponse, nous mettant littéralement sur le grill. Et ça a été au tour de l'enseignant de blêmir. Là, j'ai craqué :

– Qu'est-ce qu'il y a, Tom ? Dis-nous !

D'autres ont fait écho pour qu'il s'exprime. Il nous a regardés, puis il a ostensiblement fixé Joé qui s'est figé, comme frappé par un rayon accusateur.

– Quoi ? Pourquoi tu me mates comme ça ? Qu'est-ce que j'ai fait ?

Ignorant l'interpellation, Tom a expliqué d'une voix calme qui tranchait avec la dureté de ses traits tendus :

– Cette nuit, à deux heures du matin, quelqu'un a fichu le feu à mon garage. Tout le stock du prochain

Charliberté est parti en fumée. Mais ça, ce n'est pas grave, on va retirer. La voiture de ma mère a brûlé aussi…

– Et alors, l'assurance va payer ! a lancé Joé du fond de la classe.

J'ai cru un instant que Tom allait se ruer sur lui pour lui arracher la langue. Mais il a su intelligemment se maîtriser, parce qu'il tenait à ne rien avoir à se reprocher le jour où ce fumier devrait s'expliquer devant un tribunal – c'est lui-même qui me l'a confié un peu plus tard. Il a donc répondu, sans se départir de son ton neutre :

– Ce n'est pas un problème d'argent. Ma mère est… Elle souffre énormément depuis la mort de mon père. Et ce genre de saloperie, pour elle c'est comme un nouveau coup de poignard dans le cœur. Elle est hospitalisée… Moi, j'ai perdu quelque chose d'irremplaçable, un truc sans valeur, mais…

Les larmes lui sont montées aux yeux, nous n'avons pas su de quoi il s'agissait, car il s'est excusé et a gagné sa place sans ajouter un mot ni regarder personne. En fait, quand il était petit, son grand-père défunt lui avait offert le vélo d'enfant sur lequel lui-même avait appris à monter un deux-roues. C'était juste un souvenir, tout rouillé et poussiéreux, mais de ceux qui vous arrachent l'âme quand on les perd.

Le prof d'histoire est resté contrarié quelques instants, puis il a fini par nous formuler le commentaire qu'il avait en tête :

– Ce genre d'événements n'est malheureusement pas nouveau dans l'histoire du monde. Le pire précédent que je puisse vous citer et que nous étudierons le moment venu, parce que cela fait partie du programme, ces sont les autodafés nazis.

Il a écrit au tableau ce mot inconnu de la plupart d'entre nous, puis nous a expliqué avec une sobriété que j'ai appréciée, car cela a rendu son propos d'autant plus fort :

– L'autodafé, c'est l'acte de détruire par le feu des livres ou des écrits jugés dangereux. En 1933, en Allemagne, sur l'ordre d'Adolf Hitler, des milliers de livres ont été... (Il a marqué une hésitation pour trouver le terme le plus juste) oui, on peut dire exécutés de cette façon. C'était un acte symbolique.

Rien de bien grave, en somme, n'est-ce pas ? Sauf qu'après les livres, ce sont les êtres humains que les nazis ont maltraités, mis en tas pour les détruire, torturés… brûlés. Il faut savoir retenir les leçons de l'Histoire.

Un silence singulier a suivi cette courte tirade. Pour ma part, j'étais saisie d'un véritable effroi. Comment, en 2015, était-il encore possible de commettre de telles ignominies ? Puis soudain, comme si j'en avais déjà oublié la gravité dans toutes ses dimensions, le massacre à Charlie-Hebdo et à l'Hyper Cacher au mois de janvier me sont revenus en mémoire. Comme une gifle. Et j'ai eu cette pensée : « L'homme n'évoluera-t-il donc jamais ? »

À la sortie du cours, avant même de quitter la salle, nous avons été nombreux à faire cercle autour de Tom, la plupart pour lui apporter le réconfort de notre solidarité, d'autres juste pour obtenir des informations excitantes. Joé était sorti dans les premiers, mais il est vite revenu ! Il m'a écartée sans ménagement, puis il s'est adressé à Tom :

– J'ai rien à voir avec ça. Je sais ce que tu penses, mais je te le jure sur la tête de ma mère…

– Alors elle est morte, ta mère ! l'a coupé quelqu'un.

Heureusement qu'il s'agissait d'une fille, parce que le coup de poing serait parti illico.

– Je n'ai jamais pensé ça, a déclaré Tom. Je te sais très con et très méchant, mais pas à ce point-là. C'est quelqu'un d'autre.

Décontenancé, Joé a esquissé une approbation de la tête.

– Tu penses à qui ? ai-je demandé.

– Alors là… mystère, a répondu Tom. Les flics sont sur le coup, peut-être que s'ils trouvent une trace ADN, on saura vite. Mais ce serait un sacré coup de bol. L'incendiaire n'a fait que remonter un peu la porte du garage avec un pied-de-biche et par l'interstice, il a aspergé l'intérieur d'essence, avec une bouteille en plastique ou un flacon avec gicleur. Peu importe… N'empêche que si on retrouve ce salaud, je lui ferai payer non seulement la voiture de ma mère, mais aussi ma collection de BD. J'avais des collectors dédicacés… Merde !

Nous venions de quitter la salle quand Tom a été abordé par l'ultrareligieuse, flanquée de deux mecs de sa mouvance. Et sur un ton faussement affecté, elle a déclaré :

– Je suis vraiment désolée pour toi et pour ta maman. C'est grave de faire des trucs comme ça, mais en même temps, c'est un peu normal. Quand quelqu'un insulte quelqu'un d'autre, il doit s'attendre à être puni. Toi et ton journal, vous avez insulté Dieu, et tu vois le résultat : Il s'est vengé. Mais en même temps, Il t'a pardonné. Si tu arrêtes ton journal, ça ne se reproduira pas.

Elle aurait avoué clairement le crime qu'elle n'aurait pas parlé autrement. Même Joé, qui a assisté à la scène, a interprété de la sorte cette tirade fielleuse. Et comme il est le garçon le plus spontané du collège, il a réagi au quart de tour :

– Ça y est, on sait ! C'est toi et tes intégristes qu'ont fichu le feu au garage de Tom !

– Quoi ? Mais non ! J'ai juste dit pourquoi c'est arrivé.

Le ton est monté en flèche et la confrontation aurait sûrement dégénéré sans l'intervention d'un surveillant. L'incident s'est clos là, mais la fille a plus tard été convoquée chez le principal, puis interrogée par les enquêteurs de la police... Hélas, sans résultat. Il fallait bien tirer les leçons de l'attentat. Pour Tom, ça s'est résumé en deux mots :

– On continue !

En vérité, il avait beaucoup cogité et pris quelques décisions, dont l'une nous a sidérés. Nous l'avons découverte lorsqu'il l'a mise en œuvre, heureusement sans nous en parler avant, car nous aurions certainement poussé des hauts cris.

À la sortie de 17 heures, il s'est approché de la bande des Quatre qui franchissait la grille du collège, façon gros bras en mission. Je lui ai emboîté le pas, mais davantage parce que je m'inquiétais pour ses côtes et ses dents que par curiosité. S'ils se mettaient à le taper, j'étais prête à hurler comme une furie.

– Joé, je peux te parler une seconde ?

Méfiant, le grand brun s'est crispé, sourcils froncés.

– Vas-y, je t'écoute.

– Ça ne regarde peut-être pas tes copains.

Les copains en question ont eu un haut-le-corps.

– Eh là, lui, comment qu'il nous parle ? a réagi Yann.

– Tire-toi, Tom, on n'a rien à te dire, ordonna Kévin.

Pour bien se faire comprendre, il a bousculé l'importun qui n'a cependant reculé que d'un pas et sans baisser les yeux.

– C'est à Joé…

– Tu vas te tirer ou je t'en colle une !

Et la brute blonde de lever le poing. Joé est intervenu :

– OK, ça va, Kévin. Laisse faire. Allez, Tom, accouche. Qu'est-ce que tu veux ?

Notre rédac' chef l'a regardé, puis avec son petit air espiègle, en principe savamment étudié pour faire craquer les filles comme moi, il a formulé une offre qui ne pouvait passer, aux yeux des trois autres, que pour une provocation suicidaire :

– J'ai une proposition à te faire. Tu détestes *Charliberté*, on est bien d'accord ?

– C'est pas un scoop.

– Tu lui reproches d'être un journal d'intellos fait

par des intellos pour des intellos, et uniquement pour se fiche de la tête du reste du monde.

– Oui, bon, ça va, j'ai compris.

– Alors entre dans l'équipe. Mieux que ça, même, dans le comité de rédaction.

Stupéfait, Joé a pouffé, regardé ses potes, fixé Tom comme pour être sûr qu'il ne s'agissait pas d'une blague. Puis il a carrément éclaté de rire. Kévin est revenu à la charge, et cette fois il a poussé Tom si violemment qu'il l'a fait tomber par terre. Joé est intervenu avant qu'il le gratifie d'un coup de pied dans le ventre. Lorris était déjà prêt à embrayer, quant à Yann… cela le faisait marrer.

– Tu veux vraiment embaucher Joé ? a demandé le grand black. J'espère que tu vas bien le payer, parce qu'un cerveau comme le sien… Wouhaou ! C'est rare sur le marché.

Joé a posé une main sur l'épaule de son copain hilare, puis tous quatre ont entrepris de se moquer de Tom.

– Réfléchis, Joé, a suggéré ce dernier. Et puis, si ça te branche, je te dirai comment on peut travailler ensemble.

Là-dessus, il m'a rejointe et avec un petit clin d'œil m'a glissé :

– Nous avons une nouvelle recrue.

« Ça m'étonnerait », ai-je pensé. Mais j'avais peut-être tort.

10

La victoire des charlibertaires

Dire qu'il y avait une ambiance bizarre à la conférence de rédaction du samedi suivant dans notre brasserie habituelle, serait un bel euphémisme. Joé s'est présenté à l'heure, ce qui était déjà en soi un miracle, et seul ! On aurait pu s'attendre à le voir débarquer avec ses acolytes. Mais non… Bizarre, bizarre. Et de bonne humeur ! Alors là, je me suis dit que ça devait cacher un coup bas, à moins que je ne sois obligée de réviser mes convictions sur la nature humaine. Aujourd'hui, je peux affirmer grâce à l'expérience *Charliberté*, qu'elle peut nous surprendre de toutes les manières, donc pas seulement en mal.

Tom a accueilli le « nouveau » avec le sourire, mais sans effusions particulières, tout comme nous à mesure que nous arrivions. Nous nous sommes installés dans le salon de l'appartement, autour de la table de bois luisant cirée de frais, sur laquelle nous osions à peine poser nos calepins et nos stylos.

Comme c'était devenu l'usage, le rédac' chef a pris la parole en commençant par faire le point sur le numéro précédent. Principale information : le retirage n'avait pas posé de soucis particuliers, en revanche il avait plombé les comptes.

– Il serait peut-être temps de se demander si on ne devrait pas vendre notre canard un peu plus cher, a suggéré Tom. Qu'est-ce que vous en pensez ?

– Moi, j'ai toujours dit qu'on ne tiendrait pas si on ne faisait pas un minimum de marge, a répondu Max qui, soit dit en passant, avait souhaité haut et fort réintégrer la rédaction.

Un des nouveaux membres du comité, Franck, gauchiste convaincu, surtout parce que ses parents l'étaient… Petite parenthèse : les notions de gauche, droite, extrême centre, parti anti-truc ou mouvement pro-machin passaient largement au-dessus de nos préoccupations naturelles d'ados de troisième.

Notre prof de français avait un jour résumé la chose de manière sans doute un peu provocatrice : « À votre âge, on n'a pas encore développé de véritable conscience politique. » Me concernant, il avait carrément raison. Par contre, je suis sûre qu'après la naissance de *Charliberté*, son point de vue avait évolué. Car de la politique, quand on écrit ou qu'on lit un canard satirique, forcément on en fait. Et c'était chouette ! Même de s'engueuler pendant nos réunions, c'était chouette !

Franck, donc, a objecté :

– Peut-être, mais d'un autre côté, il ne faudrait pas qu'on devienne une entreprise commerciale. Vous savez ce que je pense du capitalisme…

– C'est pas du capitalisme ! a répliqué Max avec vigueur. C'est du réalisme !

– On s'en fiche de ce que c'est, suis-je intervenue. Ce qui compte c'est qu'on continue à publier, et pour continuer, il faut de l'argent.

Tom nous a laissés poursuivre ce débat un moment, puis il a sollicité notre recrue du jour qui n'avait pas encore ouvert la bouche :

– Et toi, Joé, qu'est-ce que tu en penses ?

– C'est juste une question de bon sens, quoi. Vous voulez faire tourner la boutique, faut de la thune. Sarah a raison.

J'ai adoré le petit regard en coin qu'il m'a lancé en disant cela.

– OK. Dans ce cas, on met le prochain numéro à combien ? a demandé Tom.

Quelques disputes plus tard, nous nous sommes entendus pour fixer un prix de vente à 1,50 euro. Nous pouvions enfin commencer à parler du sujet du prochain *Charliberté*. Joé a de nouveau été sollicité pour donner ses idées. C'est alors seulement qu'il nous a confié :

– J'en sais rien, moi. Je suis juste venu pour regarder. Mais faudrait pas en parler à mes copains. Ils pourraient… pas comprendre.

Nous nous sommes regardés et, ne souhaitant évidemment pas le contrarier, nous lui avons juré la discrétion. J'ai un peu baissé le nez à ce moment-là, car je savais que parmi nos camarades de la deuxième vague d'embauche, un ou deux n'étaient pas plus fiables que des pies.

Et le thème retenu fut… d'actualité : « La violence, comme moyen de résoudre les problèmes ».

– Vous l'avez choisi pour moi celui-là, a déclaré Joé, sans agressivité.

– Non, mais on peut supposer que tu en connais un rayon, a répondu Tom bille en tête.

– Exact.

– Tu proposerais quoi comme article ?

Joé a réfléchi et nous l'observions, nous attendant à tout et surtout à ce que sorte de cette caboche fêlée une grosse connerie. Eh bien non !

– Je verrais quelque chose sur les Juifs et les Arabes qui se fichent sur la gueule depuis Moïse.

Houlà ! Sujet violent, sujet brûlant.

– Ça craint un peu, non ? ai-je fait remarquer alors que je me sentais personnellement concernée.

– Pas du tout ! s'est enflammé Tom. C'est une super idée. Nous n'avons pas à prendre parti, puisque ce n'est pas la vocation de *Charliberté*. Par contre, on pourrait trouver des questions à poser… Sur quoi ? Qui a des idées ?

– L'avenir, a suggéré Joé. Parce que le passé et le

présent, on les connaît par cœur. Par exemple, on pourrait demander comment ça va finir cette histoire ? Et quand ?

– Moi, je sais ! s'est écriée Judith, une copine qui m'avait rejointe au comité de rédaction. Rédigeons un Charliberté de l'an 2032 ! Et parlons de l'actualité à ce moment-là.

S'il est des moments magiques dans une vie, celui-là en était un. Au final, point d'article sur le conflit israélo-palestinien en particulier, mais sur l'état du monde en général. Et j'ai adoré le premier dessin humoristique que nous a proposé Sliman. Deux jeunes du futur, en combinaison luisante et coiffés d'un casque à antennes ridicule, s'interrogeaient devant deux petits tas de cendres fumants. « C'était qui ? » demandait l'un. Et l'autre de répondre doctement : « Celui-là, un militant de la non-violence. Et celui-là… aussi. » À côté de chacun des petits tas, gisait une espèce de pistolet laser de Martien. On s'est vraiment bien marré ce jour-là.

Comme nous nous y étions engagés, *Charliberté-Hebdo* est sorti sans qu'il soit fait mention de la collaboration de Joé, qui d'ailleurs s'était limitée à sa participation à la conférence de rédaction. Les ventes ont été bonnes, tout en commençant à marquer un léger tassement, signe que nous avions atteint un palier d'intérêt. Les protestations de nos opposants aussi s'étaient quelque peu affaiblies, peut-être parce que pour une fois nous ne parlions plus des absurdités humaines passées et présentes, mais de celles du futur. Nous avions versé dans la fiction, ce qui semblait poser moins de problèmes à nos détracteurs, et à notre principal aussi d'ailleurs, puisqu'elle nous a félicités pour ce numéro.

Voilà en tout cas de quoi nous remettre un peu des inquiétudes et émotions des dernières semaines. Et comme une bonne nouvelle n'arrive jamais seule, nous avons pu faire un autre constat prometteur : la bande des Quatre était entrée en crise. Joé se mêlait moins souvent aux trois autres pendant les récréations. Puis il a commencé à fréquenter d'autres troisièmes, avec le grand Yann qui semblait s'être rapproché de lui. Kévin et Lorris demeuraient toujours inséparables, plus que jamais isolés.

Pour nous, les charlibertaires, c'était comme une victoire de l'intelligence sur la bêtise mariée à la méchanceté. L'échec – mais il n'était pas pour nous – était l'isolement de plus en plus complet de ces deux crétins. Dans la cour, plus personne n'osait ne serait-ce que passer à leur portée, et à la sortie du collège, ils disparaissaient très vite pour aller se perdre dans leur quartier où nul ne savait ce qu'ils fichaient de leur temps. Si bien qu'ils ont fini par complètement quitter notre champ de préoccupations, ainsi que celui de Joé qui devint officiellement et au grand étonnement de tout le collège, un charlibertaire.

Tout allait donc bien, dans un monde apaisé. Quoique… Quelque temps plus tard, nous avons commencé à recevoir des menaces de mort, par la Poste ou sur les réseaux sociaux. On nous promettait des châtiments divins plus odieux les uns que les autres. Les courageux anonymes menaçaient, non seulement de mettre le feu à nos maisons, mais aussi au collège, ce qui a amené le principal à porter plainte.

Le plus terrible et finalement dangereux, c'est qu'on a fini par s'habituer à ce genre de pressions psychologiques, par les négliger et même les brocarder, entre autres bien sûr, de manière assez piquante dans *Charliberté*. Mais bon, nous continuions de bien nous amuser, utilement pensions-nous, rien d'autre ne comptait. Jusqu'au jour où…

11

•••

Le 23 mars 2015 était un lundi.

D'ordinaire, du moins avant la création de *Charliberté*, comme beaucoup de collégiens, je détestais la rentrée de la semaine. Si en plus le week-end avait été génial, c'était comme un retour à l'usine qui vous plombe les baskets. Eh bien pas pour moi ni pour mes amis du journal. Nous étions si pleins d'entrain que c'était presque – j'écris *presque* parce qu'il ne faut quand même pas exagérer – avec enthousiasme que je reprenais la semaine de classe. Pour Tom, rien n'avait changé puisque je l'avais toujours connu de bonne humeur. Je pensais sérieusement qu'il y avait un gène supplémentaire dans son ADN, celui du bienheureux, par surcroît un gène délicieusement contaminant pour ceux qui approchaient ce charmant garçon.

Joé était le cas le plus spectaculaire. Les ultra-religieux auraient pu crier au miracle, ou plutôt au sortilège satanique. Moi, j'avais une théorie plus pragmatique pour expliquer cet étrange phénomène de conversion : dans le fond, cet adolescent malheureux n'attendait que cela. Lui qui ne croyait en rien ni personne, pas même en lui-même, s'était trouvé un idéal. Certes, au début, il avait eu un peu de mal à lâcher prise, mais une fois débarrassé de ses mauvaises influences, il s'est tout logiquement… épanoui. Il n'a pas changé, il est juste né. À quinze ans, il était temps, n'est-ce pas ? Je crois aujourd'hui qu'on peut naître, voire renaître à tout âge, pourvu qu'à l'intérieur la graine soit là, prête à germer.

Ce matin du 23 mars, à la récréation de dix heures, je suis allée voir Joé pour lui demander un truc… J'ai oublié lequel. Cela me faisait encore tout bizarre de le voir sympa. Je lui ai posé ma question, quand soudain nous avons entendu des cris dans le hall du collège, aussitôt relayés par des hurlements de panique. Nous avons échangé un regard interloqué et sans doute la même pensée, de celles qui ne

...

se formulent pas en mots, mais en images affreuses : une attaque terroriste ! Et voici que des élèves surgissaient par les portes du préau en poussant des cris et en se bousculant. Joé et moi nous sommes précipités. Une fois dans le collège, c'est une scène de sang que nous avons découverte, qui nous a suffoqués d'épouvante.

Isolé au centre du hall, Kévin tournait en beuglant et en grognant telle une bête enragée. À la main, il tenait un poignard ruisselant de sang. Au sol, il y avait un corps, recroquevillé en chien de fusil.

– TOM ! me suis-je écriée.

Cela a attiré l'attention du fou furieux qui s'est précipité vers moi. C'était pour me tuer. Il n'y avait plus rien d'humain dans ses yeux. J'aurais dû fuir, mais la terreur m'avait littéralement paralysée. Ce qu'il s'est passé ensuite est resté gravé dans ma mémoire comme un songe douloureux, qui a conservé et conservera toute ma vie sa puissance traumatique. Joé s'est interposé. Kévin, comme balayé par le souffle d'une explosion – le poing de Joé en vérité –, est tombé à la renverse.

Son couteau lui a échappé de la main, me semble-t-il. Des silhouettes ont accouru. Après, je ne sais plus… Je me suis évanouie.

12
Je suis charliberté

J'ai repris connaissance dans une ambulance du SAMU. Sur le coup, j'ai cru avoir cauchemardé, mais un secouriste m'a parlé :

– Mademoiselle, ça va ? Ne bougez pas, vous…

– Tom ? Où est Tom ?

Le sourire bienveillant, que s'efforçait d'afficher l'infirmier pour me rassurer, n'a fait que m'alarmer davantage.

– Est-ce que Tom va bien ?

Je me suis redressée et presque débattue pour échapper aux mains qui tentaient de m'empêcher de sortir du véhicule. Celui-ci était garé devant le collège, parmi un grand nombre d'autres, surmontés de gyrophares bleus tournoyant comme ma conscience. J'ai vu alors plusieurs gendarmes en uniforme serrant de près et poussant sans ménagement Kévin. Le forcené avait les mains menottées dans le dos, le visage en sang et le sweat-shirt gris maculé de traces pourpres.

Je me suis figée. Il m'a jeté un regard de fauve, avec des yeux étincelants de fureur. Je ne reconnaissais pas l'adolescent aigri ou banalement méchant que je croisais dans la cour du collège. La haine l'avait transformé en bête féroce. À ce jour, je ne suis toujours pas parvenue à effacer de ma mémoire ce visage hideux. Il me hante, comme la peur de le croiser à nouveau, un jour ou l'autre.

J'ai couru vers le collège, mais des policiers en faction ne m'ont pas laissée entrer. Alors j'ai hurlé, j'ai appelé Tom et parce qu'on m'interdisait définitivement de passer je me suis effondrée en sanglots aux pieds de ces hommes qui ne savaient plus quoi dire ni faire. C'est Mme Lachenal qui m'a relevée puis, me serrant contre elle, m'a entraînée dans l'établissement en me parlant :

– Tom est vivant. Il est en route pour l'hôpital, mais ça ira. Oui, je suis sûre qu'il s'en sortira.

Il était évident qu'elle cherchait à s'en convaincre elle-même. Je l'ai dévisagée, et j'ai scruté son expression pour y déceler le mensonge éventuel ou l'espoir réel. En vain. Finalement, elle m'a conduite jusque dans son bureau où, peu après, un médecin psychologue est venu nous rejoindre.

Ce qu'il est advenu dans les heures suivantes, les caméras, les gens qui courent, qui parlent fort, qui posent des questions, mes parents qui sont venus me chercher, ma mère en pleurs comme si c'était moi qui avait été poignardée… tout ça est sans importance. Le lendemain matin, j'ai demandé à mon père… non, j'ai exigé de mon père qui préférait me garder à la maison, qu'il me conduise à l'hôpital où Tom avait été admis et opéré. Je me doutais que je ne pourrais pas le voir, mais j'avais absolument besoin de me tenir au plus près possible de lui.

Dans la salle d'attente du service de réanimation, j'ai retrouvé Max, anéanti, Sliman qui ne trouvait la force de s'exprimer qu'avec un crayon et un calepin à dessins et, plus surprenant, Joé. On s'est à peine dit bonjour. Joé m'a donné les dernières nouvelles, pas vraiment optimistes :

– Il a pris deux coups de couteau. Les deux ont perforé un organe, le foie et le poumon. Il a perdu énormément de…

– Il va vivre ? l'ai-je coupé.

Il a mis un temps infini à me répondre.

– Oui. Enfin, ils font tout ce qu'il faut pour ça.

Tout ce qu'il faut… Évidemment ! J'étais hors de moi, pas contre les médecins bien sûr, ni même contre personne en particulier, j'étais juste lacérée vive par le chagrin. Soudain, la mère de Tom a franchi la porte de la réanimation. Elle n'était pas blanche, elle était livide, et si maigre ! Je me suis précipitée en criant :

– Je veux le voir ! Mme Fabiani, je veux voir Thomas. S'il vous plaît, dites aux infirmières que je ne resterai pas, pas plus de deux minutes.

Elle a acquiescé et nous sommes retournées toutes les deux dans le service, mais elle m'a laissée seule entrer dans la chambre. Quand j'ai vu mon ami cerné d'appareils de surveillance, un respirateur à oxygène sous le nez, les yeux mi-clos, j'ai failli m'effondrer. Je me suis approchée et assise sur la chaise placée tout près du lit.

– Tom, c'est moi, Sarah, ai-je murmuré.

Il n'a pas réagi, mais j'ai vu l'éclat de lumière, entre ses paupières à peine ouvertes, légèrement changer, comme s'il avait tourné les yeux vers moi. J'ai alors pris sa main que j'ai trouvée affreusement froide. Je me suis efforcée de sourire, de me détendre en respirant profondément, de le rassurer par mon attitude. Là, cette fois sans ambiguïté, il a très légèrement tourné la tête et m'a regardée. Bien sûr, il n'avait pas assez de force pour parler, mais ce n'était pas nécessaire. Nous nous comprenions par la pensée. Et il me disait :

– Drôle d'aventure, n'est-ce pas ? Qui aurait dit qu'une simple feuille de chou pour ados nous conduirait là ? Mais tout va bien. Tout va bien parce que j'ai le meilleur : toi, mes amis charlibertaires, nos idées, nos profs… et la liberté !

J'approuvais sans me rendre compte que des larmes roulaient sur mon visage empourpré. Un moment a passé. J'avais l'esprit vide. Et puis, peu à peu, de manière complètement irrationnelle, j'ai repris espoir. Notre aventure ne pouvait pas se terminer mal. C'était impensable, parce que trop injuste. Tom vivrait, c'était l'évidence. Il avait tant de choses bonnes, et drôles !, à apporter au monde.

Comme j'aimais ce garçon ! Le monde entier allait l'aimer, parce qu'il incarnait tout ce qu'il y a de meilleur. Et le meilleur ne peut pas mourir, il est immortel…

J'ai tout à coup senti un tressaillement dans la main de Tom que je serrais très fort entre les miennes. Peut-être trop. Je devais lui faire mal. J'ai regardé ses yeux qui me fixaient toujours, presque souriants. Les appareils de contrôle se sont soudain mis à biper et à siffler. Une violente oppression m'a comprimé la poitrine. Le souffle coupé, j'ai jeté des regards affolés autour de moi. Des gens en blouse blanche ont surgi. Ils m'ont obligée à me lever. Ils m'ont crié après parce que je ne lâchais pas la main de Tom. Mais Tom me regardait. On m'a emportée, portée littéralement. Tom ne me regardait plus ; il contemplait quelque chose… la vie, son œuvre. Tom venait de décéder. Il était…

Sarah Wegman ne fut brusquement plus capable de poursuivre sa lecture à voix haute. Le livre, son livre témoignage, était ouvert sur le bureau. Elle fixait la page, le souffle court, frémissante. Face à elle, ses élèves de seconde étaient littéralement pétrifiés d'émotion, ce dont témoignait le silence impressionnant qui s'était instauré depuis que leur professeur de français avait abordé les dernières pages de son livre.

– Je suis désolée, a bredouillé l'enseignante. Je ne pensais pas que… que quinze ans après…

Plusieurs de ses élèves n'avaient pu retenir leurs larmes, et elle s'en voulut sur le coup d'avoir provoqué cela. Mais ce n'était pas de sa faute, ce n'était pas elle qui avait souhaité lire ce témoignage écrit qu'elle venait de publier chez un éditeur pour la jeunesse. C'est un des garçons de cette classe de seconde qui avait, quelques jours plus tôt, apporté le livre au lycée. Tout le monde avait voulu entendre de la bouche même de son auteur les premières pages. Les débats que cette première lecture avait suscités étaient si enthousiasmants, que Sarah n'avait pas pu faire autrement que de lire la suite, livrer comme un roman ses souvenirs, aller jusqu'au bout, jusqu'à l'insoutenable… Et voilà qu'elle se trouvait en larmes devant ses élèves, incapable même de se lever pour leur épargner ce spectacle.

Il se produisit alors un événement extraordinaire. À l'échelle d'une classe de lycée, oui, c'en était vraiment un. Un garçon du dernier rang s'était levé. Restant planté devant sa table, muet, il montrait à deux mains une page de cahier sur laquelle il avait écrit à la hâte : « Je suis Charliberté ».

Un deuxième élève s'est levé. Lui aussi avec une affichette « Je suis Charliberté ». Puis une autre, et un autre… Et tous pour finir.

Sarah contempla ces jeunes gens debout et proclamant le même message, et elle pensa qu'elle avait toujours eu raison, depuis sa troisième au collège Rousseau, de ne jamais désespérer de ce monde. Car il y avait en lui bien plus de meilleur que de pire. Partout, il y a du Charliberté. Partout, il y a de la conscience. Partout, il y a de l'humanisme. Il suffit juste qu'il se montre pour que chacun s'en rende compte.

– Merci ! a balbutié Sarah, s'adressant autant à ses élèves qu'à Tom le charlibertaire.

FIN…

Table des matières

Imprimé en France par France Quercy, Mercuès - N° 61322/
Réimpression en décembre 2016